NORA ROBERTS

Nora Roberts compte parmi les romancières les plus populaires et prolifiques des éditions Harlequin. Citée par le *New York Times* comme l'un des auteurs les plus vendus, elle a reçu de nombreuses récompenses pour sa créativité, l'ingéniosité de ses intrigues et sa contribution au genre romanesque. Distinguée par le *Romance Writers of America*, Waldenbooks et le magazine *Romantic Times*, elle a été lauréate du grand prix couronnant l'œuvre d'une vie. Les associations de libraires, de lecteurs et d'auteurs de séries romanesques se sont plusieurs fois retrouvées pour lui décerner diverses distinctions de prestige.

Nora Roberts excelle dans l'art de raconter une histoire. Son humour pimente des intrigues inventives, et se répercute dans les caractères bien trempés de ses personnages. Comme eux, elle ne recule jamais quand il s'agit de prendre des risques ! Ces qualités lui ont valu la fidélité de milliers de lecteurs dans le monde entier.

Pour l'amour d'un prince

NORA ROBERTS

Pour l'amour d'un prince

*éditions*Harlequin

Cet ouvrage a été publié en langue anglaise
sous le titre :
THE PLAYBOY PRINCE

Traduction française de
EDITH HERDHUIN

Ce roman a déjà été publié dans la collection
DUO DÉSIR N° 263
sous le titre :
PAR LA VOLONTÉ DU PRINCE
en septembre 1988

HARLEQUIN®

est une marque déposée du Groupe Harlequin

Toute représentation ou reproduction, par quelque procédé que ce soit, constituerait une contrefaçon sanctionnée par les articles 425 et suivants du Code pénal.
© 1987, Nora Roberts. © 1988, 2004, Traduction française : Harlequin S.A.
83-85, boulevard Vincent-Auriol, 75013 PARIS — Tél. : 01 42 16 63 63
Service Lectrices — Tél. : 01 45 82 47 47
ISBN 2-280-15408-0

1.

L'étalon monta à l'assaut de la colline en soulevant un nuage de poussière. Arrivés sur la crête, le cavalier et sa monture se profilèrent un bref instant sur l'azur intense du ciel, impressionnants, sauvages.

Déjà, les genoux du cavalier pressaient les flancs de l'animal qui l'emporta dans un galop fougueux le long de la pente. Le chemin se faisait difficile, bordé d'un côté par la rocaille, de l'autre par l'abîme. Ils le dévalèrent à bride abattue, enivrés par le vent de la course.

Seul un fou pouvait mépriser la vie avec une telle arrogance. Un fou... ou un rêveur.

— Plus vite, Devil ! cria le cavalier d'un ton de défi.

Quand le sentier tourna brusquement à gauche, l'étalon continua sa course sans ralentir. La rocaille se transforma en une éblouissante falaise blanche qui tombait à pic dans la mer.

Le cavalier jeta un bref coup d'œil autour de lui, mais ne ralentit pas... De cette hauteur, on ne sentait pas l'odeur iodée de la mer. Même le bruit des vagues ne parvenait que d'une manière indistincte, comme le grondement sourd du tonnerre dans le lointain. Mais, même d'ici, la mer gardait son caractère redoutable et mystique. Chaque année, elle réclamait son tribut de vies humaines. Le cavalier le comprenait et l'acceptait, car il en était ainsi depuis le début des temps. Et il en serait ainsi pour l'éternité. Dans des moments comme celui-là, il s'en remettait aux mains du destin, et sa propre vie devenait l'enjeu de son pari.

L'étalon n'avait besoin d'aucune sollicitation pour aller plus vite, toujours plus vite. Ils dévalèrent l'étroit sentier jusqu'à ce que le fracas familier des vagues retentisse de nouveau, plus proche...

Contrairement à ce que l'on aurait pu imaginer, le cavalier et sa monture ne fuyaient pas un danger. L'homme ne se rendait pas non plus à un rendez-vous galant... L'éclat qui brillait dans les yeux de l'inconnu était celui du défi. Et le poitrail du cheval, dont la robe luisait de sueur, n'exprimait que puissance et vertige de la vitesse, sans autre but que d'obéir à la passion de son maître en la faisant sienne.

Quand le terrain commença à s'aplanir, l'étalon ralentit l'allure. Ils passèrent devant des maisonnettes aux murs blancs. Sur les pelouses, le linge claquait au vent venu de la mer. Des massifs de fleurs jetaient çà et là leurs couleurs vives, et les fenêtres étaient ouvertes sur le grand large. Sans le moindre commandement apparent, le cheval sauta brusquement une haie de la hauteur d'un homme.

De l'autre côté se trouvaient les écuries. Si, parfois, la tempête faisait rage derrière la colline, ici, au contraire, régnaient le calme et l'harmonie. Les bâtiments, peints en rouge et blanc, se mariaient agréablement à l'ensemble

8

du paysage, aux vertes collines et aux falaises blanches qui tombaient à pic dans le bleu de la mer. Des barrières de bois blanches formaient des paddocks où paissaient des chevaux.

L'un des lads, qui faisait tourner une jument sur l'herbe verte, s'arrêta en entendant le galop de l'étalon. « L'incarnation du diable », ne put-il s'empêcher de penser. On ne savait s'il faisait allusion au cheval ou à son maître, mais son visage exprimait une crainte respectueuse. Ce spectacle ne l'étonnait plus, pas plus qu'il n'étonnait les deux lads qui se précipitaient pour accueillir leur maître en s'écriant :

— Votre Altesse...

Le prince Bennett de Cordina se laissa glisser avec souplesse de sa selle et eut un petit rire insouciant.

— Laisse, Bob. Je m'occuperai de lui.

Le vieux lad fit un pas en arrière en s'inclinant respectueusement. Son visage était impassible, mais il observa le cavalier et sa monture, à la recherche de la moindre blessure.

— Je m'excuse, Votre Altesse, mais un message vient de nous parvenir du palais. Le prince Armand souhaite vous voir au plus vite.

Bennett tendit les rênes au viel homme avec regret. L'heure qu'il passait dans l'écurie à panser son cheval faisait aussi partie de son plaisir. Mais si son père l'appelait, le devoir passait avant le plaisir.

— Prends bien soin de lui, Bob. Nous avons fait une longue course.

— Bien, Votre Altesse, répondit le lad, qui avait passé presque toute sa vie à s'occuper de chevaux.

C'était lui qui avait appris à Bennett à monter son premier poney. Et à soixante ans, malgré une jambe paralysée à cause d'une mauvaise chute, on sentait encore en lui l'enthousiasme et l'énergie de la jeunesse. Et aussi la passion.

— J'y veillerai personnellement, Votre Altesse.

— Merci, Bob.

Le vieil homme retira la selle en grommelant :

— Inutile de me remercier, Monsieur. Je ne connais personne d'autre ici qui voudrait se colleter avec le diable.

Il jura en français en essayant de retenir l'étalon qui piaffait.

Aussitôt, Devil se calma.

— Et, personne ne le ferait aussi bien, répondit le prince. Donne-lui un peu plus d'avoine. Il l'a bien mérité.

Bob reçut le compliment en répondant par une simple inclination de tête.

Bennett de Cordina se dirigea vers la sortie des écuries. Il aurait pu prendre le temps de se rafraîchir avant de se rendre au palais, mais il avait besoin de bouger. Son galop fou sur les collines n'avait pas réussi à étancher complètement sa soif de mouvement et de vitesse. De liberté, surtout...

Pendant près de trois mois, il avait dû satisfaire à ses obligations protocolaires au palais. Comme second héritier en titre du trône de Cordina, il avait moins de devoirs que son frère, mais ils étaient tout aussi fastidieux. Les contraintes faisaient partie de sa vie quotidienne depuis son plus jeune âge, et il était presque parvenu à les considérer comme une simple routine. Mais il ne savait pas pourquoi, depuis l'année dernière, sa tâche lui devenait de plus en plus pesante.

Seule Gabriella s'en était aperçue. Peut-être même sa sœur le comprenait-elle. Elle aussi avait aspiré à plus de liberté et d'intimité, et avait réussi à en conquérir une parcelle quand son frère, Alexander, avait épousé Eve. Dès lors, elle avait partagé avec elle le poids de certaines responsabilités. Mais on pouvait toujours compter sur elle. Et elle consacrait encore une partie de son temps à l'institut pour enfants handicapés qu'elle avait créé.

Bennett monta rapidement l'escalier qui conduisait au bureau de son père et s'efforça de retrouver son calme avant de frapper à la lourde porte d'ébène.

— Entrez, dit la voix de son père.

Le prince n'était pas derrière son bureau, mais près de la fenêtre, devant une table chargée d'un plateau de thé. En face de lui était assise une femme qui se leva à son approche.

En homme qui apprécie les femmes de tous les âges, et de toutes les conditions, Bennett la contempla un instant avant de se tourner vers son père.

— Je suis navré de vous déranger. Vous vouliez me voir ?

Armand but une gorgée de thé avant de répondre :

— Oui. Prince Bennett, je voulais vous présenter lady Hannah Rothchild.

— Votre Altesse...

La jeune femme baissa les paupières en lui faisant une courte révérence.

— Ravi de vous connaître, lady Hannah.

Bennett lui prit la main et l'invita à se redresser en poursuivant son inspection. Jolie femme, beaucoup de charme. Mais il aimait plus de panache dans la beauté. Apparemment anglaise, d'après son accent. Il préférait les Françaises. Mince et impeccable dans son tailleur de toile grège. Mais seules les femmes aux courbes voluptueuses retenaient son regard.

— Bienvenue à Cordina, ajouta-t-il.

— Merci, Votre Altesse.

Oui, décidément, son accent était typiquement britannique, à la fois distingué et tranquille. Il rencontra un bref instant son regard et constata que ses yeux étaient d'un vert très clair, presque inexpressifs.

— Je vous en prie, asseyez-vous, ma chère, intervint le prince Armand en lui montrant un siège.

Puis il se tourna vers son fils pour lui offrir une tasse de thé. Hannah, les mains croisées sur les genoux, remarqua le regard réticent de Bennett en direction de la théière. Mais il accepta sans rien dire la tasse de thé.

— La mère de lady Hannah est une cousine éloignée, commença le prince. Eve a fait sa connaissance lors de son dernier voyage en Angleterre avec votre frère. A la demande d'Eve, lady Hannah a accepté de rester quelque temps parmi nous pour lui tenir compagnie.

12

Se rappelant ses bonnes manières, Bennett se contraignit à sourire.

— J'espère que vous prendrez plaisir à séjourner parmi nous, comme nous saurons apprécier votre présence.

Hannah lui répondit par un regard sévère, à peine adouci par un sourire poli. Se rendait-il compte à quel point il était séduisant, dans son habit de cavalier ? Oui, décida-t-elle, il en était parfaitement conscient.

— Je suis certaine de me plaire ici, Votre Altesse. Je suis très honorée que la princesse Eve ait souhaité m'avoir auprès d'elle pendant qu'elle attend son deuxième enfant. J'espère lui donner toute satisfaction.

Armand lui tendit une assiette de biscuits.

— Lady Hannah a vraiment été très aimable de bien vouloir nous consacrer un peu de son temps, expliqua-t-il. Je sais qu'elle travaille en ce moment sur un essai littéraire de la plus haute importance.

— Très intéressant, murmura Bennett en buvant une petite gorgée de thé.

Un sourire apparut sur le visage de la jeune femme.

— Vous connaissez Yeats, Votre Altesse ?

Bennett se balança légèrement sur sa chaise. Ces mondanités l'ennuyaient terriblement...

— Pas intégralement, répondit-il enfin.

— Mes livres devraient arriver avant la fin de la semaine. Je vous en prie, n'hésitez pas à emprunter ceux qui vous intéressent.

— Son Altesse voudra bien m'excuser, déclara-t-elle en se tournant vers le prince Armand. Il faut que je termine de m'installer.

— Je vous en prie, répondit le prince en se levant pour la raccompagner jusqu'à la porte. Nous vous verrons ce soir, pour le dîner. N'hésitez pas à sonner si vous avez besoin de quoi que ce soit.

La jeune femme répondit par une révérence et se glissa silencieusement par la porte entrebâillée.

Bennett attendit que la porte fût refermée pour se laisser tomber dans un fauteuil en laissant échapper un soupir.

— Elle fera périr Eve d'ennui avant la fin de la semaine. Je me demande bien ce qu'elle a pu lui trouver !

— Eve a appris à apprécier cette jeune femme pendant son séjour en Angleterre, répondit le prince Armand en se dirigeant vers un petit meuble en marquetterie dont il sortit un flacon de cognac. Hannah appartient à une excellente famille. Son père est un membre éminent du parlement britannique.

Il versa délicatement le liquide ambré dans des verres de cristal.

— Tout cela est parfait, mais...

Bennett s'interrompit pour prendre son verre.

— Père ! Vous n'essayez quand même pas de me faire entendre que ce serait un bon parti pour moi ? Ce n'est vraiment pas mon genre de femme !

Le prince Armand laissa échapper un petit rire.

— Vous l'avez assez montré. Je peux vous assurer que je n'ai pas fait venir lady Hannah dans ce but.

— La pauvre n'aurait aucune chance, de toute façon, constata Bennett en faisant tourner lentement le cognac dans son verre. Je me demande ce que ce Yeats vient faire dans tout ça.

— On peut s'intéresser à autre chose qu'aux chevaux.

Armand sentait la tension monter en lui et s'efforçait de la dominer.

— Je me sens mieux dans le monde réel. Le tourment des amours déçues ou la beauté d'une goutte d'eau n'ont jamais su me toucher, en tout cas, pas au travers des livres.

Bennett se rendit compte qu'il se montrait discourtois et ajouta aussitôt :

— Mais bien sûr, je ferai tout pour être agréable à la nouvelle amie de ma belle-sœur.

— Je n'en ai jamais douté.

Puis, Bennett passa à des sujets qui lui semblaient plus importants.

— La jument arabe est sur le point de mettre bas. Je crois que ce sera un poulain. Devil a toujours des fils superbes. Nous aurons trois chevaux prêts pour les différentes manifestations du printemps ; un autre devrait être capable d'affronter les épreuves des concours olympiques. Je vais faire en sorte que les cavaliers puissent désormais consacrer tout leur temps à leur entraînement.

Armand acquiesça d'un air distrait qui agaça Bennett. Bien sûr, les écuries n'étaient pas la priorité, dans l'esprit de son père. Il avait suffisamment de problèmes à régler, à l'intérieur et à l'extérieur du pays, sans compter les querelles politiques au Conseil de la Couronne !

Mais Bennett avait travaillé très dur pour ses chevaux. Il avait fait des écuries du prince Armand les meilleures du royaume. Dans quelques années, il était certain qu'elles pourraient rivaliser avec les meilleures du monde.

— Je crois que ce n'est pas le moment d'en discuter, conclut-il, conciliant, avant de terminer son verre.

Il attendit que son père lui fasse part de ses préoccupations.

— En effet, Bennett, je le crains fort. Pouvez-vous me dire quel est votre emploi du temps pour la semaine à venir ?

— Pas dans le détail, répondit Bennett en se levant brusquement dans un mouvement impatient. Je dois aller à Coriada à la fin de la semaine. L'*Indépendance* est de retour. Il y a une réunion avec les fermiers de la coopérative, et un ou deux vins d'honneur. C'est Cassells qui s'occupe de tout ça. Il y aura certainement un ruban à couper !

— Tout ça n'a pas l'air de vous enchanter ?

Avec un léger haussement d'épaules, Bennett se servit un autre verre de cognac. Puis un léger sourire se dessina sur ses lèvres. La vie était trop courte pour la voir en gris.

— C'est surtout le ruban à couper qui m'ennuie. Le reste, ça devrait aller.

— Le peuple a aussi besoin de nous voir.

Bennett se tourna vers la fenêtre en soupirant. Quoi qu'il en dise, la royauté faisait partie de sa vie depuis son plus jeune âge. Et il en était fier.

— Je sais, père. C'est simplement que je n'ai pas la patience d'Alexander, la sérénité de Gaby, ni votre sagesse.

16

— Vous allez pourtant avoir besoin de toutes ces qualités bientôt, dit Armand en regardant son fils dans les yeux. Deboque sort de prison dans deux jours.

Deboque ! A la seule évocation de ce nom maudit, Bennett sentait tout son être se révulser. François Deboque. L'homme qui avait fait kidnapper sa sœur. L'homme qui avait essayé d'assassiner son père, puis son frère !

Bennett posa machinalement la main sur la cicatrice qu'il portait encore au flanc, souvenir d'une balle tirée par la maîtresse de Deboque. Par amour pour cet homme maudit.

Et la bombe qui avait explosé devant leur ambassade de Paris visait son père. En fait, c'était l'un de leurs plus fidèles serviteurs qui était mort, Steward, marié et père de deux enfants...

Dix ans s'étaient écoulés depuis la tentative d'enlèvement de Gabriella, mais nul n'avait pu prouver la culpabilité de Deboque, qui serait libéré dans quelques jours...

Bennett ne doutait pas un instant qu'il emploierait toute son énergie à se venger. La famille royale était devenue son ennemie, ne serait-ce que parce qu'il venait de passer dix ans de sa vie dans les prisons de Cordina. Nul doute non plus que, pendant toutes ces années, il avait continué de diriger des trafics illicites.

Nul doute, mais aucune preuve.

La garde serait renforcée. La sécurité serait plus stricte. Interpol continuerait son enquête, ainsi que l'International Security System. Mais cela faisait des années que l'ISS et Interpol essayaient d'inculper Deboque pour attentats et complots contre la famille royale. En vain. Ainsi, tant au royaume de Cordina qu'en Europe, le danger restait entier...

Le soir, le repas de famille lui rendit une certaine sérénité. La tension était moins forte, bien qu'il ne fût pas possible de s'exprimer en toute liberté devant la nouvelle invitée d'Eve. Lady Hannah était-elle consciente de la nervosité de ses hôtes ? Elle n'en montrait rien, en tout cas...

Bennett aurait bien souhaité dix fois son retour en Angleterre s'il n'avait pas constaté le bienfait réel qu'exerçait sa présence sur sa belle-sœur. Eve était enceinte de trois mois de son deuxième enfant. Tout ce qui pouvait lui apporter de la distraction ou du réconfort était le bienvenu. Si lady Hannah pouvait jouer ce rôle-là, cela compenserait bien l'inconvénient de sa présence au palais...

Bennett avait besoin de faire le point de la situation avec Reeve. Reeve MacGee était plus que le mari de sa sœur : c'était le chef de la Sécurité. Et en tant que tel, il pourrait certainement calmer ses inquiétudes...

Bennett sortit faire quelques pas dans le jardin et leva les yeux vers le ciel. La lune était presque pleine, l'air embaumait... Et sa solitude l'apaisa quelque peu.

Quand il entendit les chiens aboyer, il se raidit. Ses lévriers n'auraient jamais aboyé au passage d'un familier de la maison. Souhaitant presque l'affrontement, Bennett se dirigea calmement dans la direction du bruit.

Il entendit d'abord son rire. Et il fut surpris. Ce n'était pas un rire calme et retenu, mais une cascade de sons graves, chaleureux. Au moment où il aperçut la jeune femme, elle s'agenouillait pour caresser les chiens qui se pressaient contre ses jambes.

— Là, doucement ! Gentil...

Un rayon de lune coula sur son visage et sur ses épaules. En cet instant, elle n'avait plus rien de banal ou d'effacé. La lumière argentée dessinait les contours de son visage et en accentuait les reliefs, mettant en valeur la blancheur de son teint, le vert profond de ses yeux. Bennett était prêt à jurer qu'il venait d'y voir briller l'éclat de la passion. Et Dieu sait s'il savait le reconnaître en n'importe quelle femme ! Son rire flotta de nouveau dans l'air, aussi riche et chatoyant que la lumière du soleil, aussi enveloppant et mystérieux que le brouillard...

— Non, il ne faut pas sauter, murmurait-elle aux chiens. Je serais couverte de boue. De quoi aurais-je l'air ?

— Oui, en effet, ce serait surprenant, pour une femme comme vous !

Elle leva brusquement la tête. Il crut lire de la surprise dans son regard. Mais quand elle se fut relevée et qu'elle le regarda de nouveau, elle était redevenue la lady Hannah impassible et réservée...

— Bonsoir, Votre Altesse. Pardonnez-moi, je me croyais seule.

— Moi aussi, dit-il en souriant pour la mettre à l'aise. J'ai toujours regretté que la beauté de ces jardins ne soit pas assez appréciée. Vous ne dormiez pas ?

— En effet, Monsieur. J'ai toujours des difficultés à m'endormir quand je voyage.

Les chiens bondissaient joyeusement autour de Bennett. Elle s'assit sur un banc, à côté d'un massif de pivoines, et le regarda qui en effleurait pensivement les fleurs d'une main légère.

— J'ai aperçu les jardins de mes fenêtres, expliqua-t-elle, et j'ai pensé que je pouvais m'y promener.

— Moi aussi, j'aime m'y promener la nuit. Elle exalte leur beauté, leur mystère, ajouta-t-il en continuant à l'étudier. Vous ne trouvez pas ?

— Si, Votre Altesse...

Elle croisa les mains sur ses genoux. Lui était toujours aussi beau, sous la lune comme sous le soleil ! Les chiens vinrent presser leur museau sur ses mains.

— Ils vous apprécient.

— J'ai toujours aimé les animaux, dit-elle en décroisant les doigts, et il remarqua pour la première fois combien ils étaient longs et délicats, comme son corps. Comment s'appellent-ils ?

— Boris et Natasha.

— Très bien trouvé pour des lévriers afghans !

— C'est un cadeau que mon père m'a fait quand j'étais encore un petit garçon. J'ai trouvé ces noms dans une bande dessinée américaine. C'était ceux de deux espions.

— Des espions, Votre Altesse ?

— Oui. Des Soviétiques, bien sûr, dans un méli-mélo que j'étais trop petit pour comprendre.

Il crut apercevoir de nouveau l'éclair d'humour qui donnait une expression si particulière à son regard.

— Je vois, constata-t-elle simplement. Moi, je ne suis jamais allée en Amérique.

— C'est un pays fascinant. Cordina lui est très lié depuis que deux membres de la famille royale ont épousé des Américains.

— A la grande déception de plusieurs candidats européens, j'imagine. J'ai rencontré la princesse Gabriella, il y a quelques années. C'est une jeune femme superbe.

— Oui, en effet. Vous savez, ce qui m'étonne, c'est que je ne vous ai jamais rencontrée, en Angleterre.

Le sourire d'Hannah s'accentua légèrement.

— Mais nous nous sommes rencontrés, Votre Altesse.

— Vous êtes sûre ?

— Absolument. Je comprends que vous ayez oublié. Cela s'est passé il y a plusieurs années, à un bal de charité donné par le prince de Galles. La reine-mère vous a présenté à ma cousine Sarah et à moi-même. Je crois que Sarah et vous êtes devenus très... amis.

— Sarah ? répéta Bennett en fouillant ses souvenirs. Ah, oui... Je me rappelle, à présent. Comment va-t-elle ?

— Très bien. Très heureuse de son second mariage. Dois-je lui transmettre votre souvenir ?

S'il y avait du sarcasme dans sa voix, il était habilement dissimulé derrière la politesse la plus exquise.

— Si vous voulez, répliqua-t-il en continuant à la dévisager. Vous portiez une robe bleue, d'un bleu très pâle, presque blanc.

Hannah leva un sourcil étonné. Elle aurait pourtant juré qu'il ne l'avait pas remarquée, à l'époque. Une mémoire comme celle-ci pouvait être utile... ou dangereuse !

— Vous me flattez, Votre Altesse.

— Je me suis fait une règle depuis longtemps de ne jamais oublier une femme.

— Oui, je l'ai entendu dire...

Il fronça les sourcils, puis arbora de nouveau son petit sourire insouciant.

— Je vois que ma réputation m'a précédé. Cela vous ennuie peut-être de vous trouver seule avec moi, au clair de lune, dans ce jardin ? Seule avec...

— Avec le prince don Juan ?

— Vous lisez les journaux, n'est-ce pas ?

— Beaucoup, en effet. Mais que Son Altesse se rassure : je me sens parfaitement à mon aise, merci.

Il laissa échapper un petit rire.

— Lady Hannah, j'ai rarement été remis aussi nettement à ma place !

Ainsi donc, il était susceptible. Encore un détail qu'il lui faudrait se rappeler.

— Je vous demande pardon, Monsieur, ce n'était certainement pas mon intention.

— Vraiment ? s'exclama-t-il en lui saisissant une main. C'est à moi de m'excuser pour vous avoir ainsi tourmentée. Mais puisque vous vous défendez si bien, je ne m'y risquerai plus. Je commence à comprendre pourquoi Eve vous a invitée.

— Nous nous sommes entendues tout de suite, elle et moi, et j'ai été ravie de cette occasion qui m'était offerte de séjourner quelque temps à Cordina. Je dois l'avouer, je suis presque tombée amoureuse de la petite princesse Marissa.

— Elle a à peine plus d'un an, et déjà, tout le palais lui obéit au doigt et à l'œil, répondit Bennett, attendri. Il est vrai qu'elle ressemble tellement à Eve !

Hannah retira sa main de la sienne. Elle avait entendu dire que Bennett avait été amoureux de la femme de son frère. Et il n'était pas besoin d'être particulièrement attentif pour sentir l'émotion vibrer encore dans sa voix quand il prononçait son nom...

— Si vous voulez bien m'excuser, Monsieur, je vais me retirer.

— Mais il est encore très tôt.

Bennett se surprenait lui-même à vouloir la retenir. Il n'aurait jamais cru qu'il pouvait être à ce point agréable de parler avec elle. Encore moins qu'il pourrait éprouver le besoin de lui parler.

— J'aime à me coucher tôt.

Dans ce cas, je vous raccompagne.

— Je vous en prie, ne vous donnez pas cette peine. A demain !

Elle disparut dans l'obscurité tandis que les chiens se serraient contre les jambes de Bennett en poussant de petits gémissements.

Qui pouvait-elle bien être ? se demanda-t-il en se penchant vers les chiens pour les calmer. Au premier regard, elle semblait insignifiante, et pourtant... Il était perplexe. Tout en regardant le palais, les chiens sur les talons, il décida qu'il découvrirait la clé du mystère...

Hannah s'éloigna sans même se retourner pour regarder s'il la suivait. On lui avait appris dès sa naissance à se déplacer avec la plus extrême discrétion. Et ce talent lui avait été déjà bien utile.

Elle monta l'escalier sans bruit et referma soigneusement la porte de sa chambre derrière elle. Elle ôta aussitôt ses mocassins et commença à se dévêtir. Comme le personnage qu'elle jouait n'aurait certainement jamais laissé ses vêtements sur le sol, elle se contraignit à les ramasser, et, avec un bref coup d'œil perplexe, les rangea soigneusement dans la penderie.

Hannah se tenait maintenant debout au milieu de la chambre, vêtue d'une simple combinaison de soie blanche qui laissait entrevoir un corps mince et gracieux, des épaules d'un blanc laiteux. Retirant une à une ses épingles, elle délivra ses cheveux qui retombèrent en boucles épaisses jusqu'à la taille. Puis, se regardant dans la glace, elle poussa un long soupir de soulagement. Lady Hannah retrouvait sa vérité, son vrai visage...

Car la vraie lady Hannah était une femme affirmée, cultivée, féminine. Elle adorait les dentelles anglaises et les broderies sur une lingerie au charme vaporeux. Mais elle s'en tenait aux tailleurs de tweed pour toutes ses apparitions en public, parce qu'ils correspondaient mieux au personnage qu'elle s'était donné tant de mal à créer...

24

En fait, si on lui avait demandé d'y réfléchir, lady Hannah aurait volontiers reconnu qu'elle se sentait parfaitement bien dans ses deux personnages, ses deux visages. Elle trouvait souvent reposant d'être l'aimable et discrète lady Hannah. Sinon, il lui aurait été impossible de jouer ce rôle si longtemps.

Mais il existait une autre lady Hannah, fille unique de lord Rothchild, petite-fille du comte de Fenton. Et cette Hannah-là n'avait rien de tranquille ni d'effacé. Elle était souvent agitée par les tourments d'une âme passionnée, et, plus que la tranquillité que sa naissance lui assurait, elle aimait le danger.

Autant de qualités qui faisaient d'elle un excellent agent...

Hannah ouvrit un tiroir de sa commode et en sortit une longue boîte qui contenait un superbe collier de perles, ainsi que des boucles d'oreilles de diamants et quelques autres bijoux convenant à une personne de son rang. Dans la boîte se trouvait un double-fond d'où Hannah sortit un petit cahier noir. Elle le posa sur un petit secrétaire de bois de rose et commença à rédiger son rapport quotidien. Ce n'était pas seulement le parfum des roses qui l'avait attirée dans le jardin... Grâce à sa petite promenade, elle possédait maintenant le plan du palais et de ses dépendances. Elle prit le temps de faire un croquis du palais lui-même, y compris ses moindres ouvertures. D'ici un jour ou deux, elle aurait l'horaire de relève de la garde.

Il lui avait fallu peu de temps pour se faire apprécier d'Eve et s'assurer une invitation à Cordina. Eve s'ennuyait de sa sœur et de son pays. Elle avait besoin d'une amie, de quelqu'un à qui parler, avec qui partager les joies que lui apportait sa petite fille.

Hannah s'était trouvée là au bon moment.

Elle ressentit brièvement le pincement de la culpabilité, mais décida de l'ignorer. Le travail était le travail. Elle ne pouvait laisser la sympathie qu'elle éprouvait pour Eve interférer avec le but qu'elle s'était fixé, deux ans auparavant.

Elle commença à rédiger ses notes sur Bennett. Le personnage n'était pas tout à fait conforme à celui qu'elle imaginait... Certes, il était tout à fait charmant, et aussi séduisant que l'indiquait son dossier, mais, contrairement à toute attente, il avait prêté attention à l'ennuyeuse lady Hannah...

Un séducteur égoïste et infatigable, se rappelait-elle. Mais qui, en bon connaisseur, ne s'intéressait qu'aux jolies femmes. Peut-être commençait-il à s'ennuyer et s'était-il mis dans la tête de se distraire avec elle, en attendant mieux ? Hannah se remémora la manière dont il lui avait souri. Un homme de sa prestance et de sa condition connaissait parfaitement l'effet de son sourire, et ne le dispensait qu'avec un savant à-propos. La banalité de lady Hannah lui avait-elle semblé un défi amusant à relever ?

Avec un bref mouvement de tête, elle se contraignit à interrompre le cours de ses pensées. Non, décida-t-elle en tapotant son cahier de la pointe de son stylo, une aventure avec Bennett ne pourrait que compliquer sa mission. Elle jouerait son rôle jusqu'au bout, les yeux baissés et les mains jointes...

Elle replaça soigneusement le petit cahier noir dans le double-fond et ferma la boîte à clé tout en la laissant en évidence, au cas où quelqu'un déciderait de visiter sa chambre.

Enfin, elle était dans la place ! se dit-elle avec satisfaction, en parcourant la pièce du regard.

Dans deux jours, quand Deboque sortirait de prison, il pourrait être content...

2.

— Hannah, je suis tellement contente que vous ayez accepté de venir !

Eve entraîna Hannah derrière le rideau de scène.

— Alex me laisse un peu respirer, depuis que vous êtes là. Il vous trouve tellement raisonnable !

— En effet, je suis raisonnable.

Eve laissa échapper un petit rire et continua, avec son accent traînant du Texas :

— Je sais, c'est aussi ce que j'apprécie en vous. Mais vous n'êtes pas tout le temps en train de me dire de m'asseoir, ou d'aller me coucher !

— La plupart des hommes considèrent la grossesse comme une maladie.

— Exactement !

Enchantée par l'humour de son amie, Eve la fit entrer dans son bureau, désireuse de lui faire tout connaître de son royaume. Rejetant sa longue chevelure brune en arrière, elle s'assit sur le bord de son bureau. Ici, au moins, elle avait l'impression d'être chez elle, de pouvoir jouir d'un peu de l'intimité à laquelle elle avait dû renoncer en épousant un prince.

— Si vous n'étiez pas venue, il aurait fallu que je me batte pour qu'il me laisse continuer à travailler. Il a accepté simplement parce qu'il compte sur vous pour modérer mes excès.

— Et il peut compter sur moi, répliqua Hannah en jetant un bref coup d'œil autour d'elle.

Pas de fenêtre, aucune ouverture sur l'extérieur. Avec un léger sourire, elle prit une chaise et poursuivit :

— Vous savez, Eve, je vous admire sincèrement. Le Centre d'arts appliqués a toujours eu une bonne réputation, mais depuis que vous vous en occupez, ce théâtre est en passe de devenir le plus important d'Europe.

— C'est ce dont j'ai toujours rêvé.

Elle regarda d'un air songeur l'alliance incrustée de diamants qui brillait à son doigt. Même après deux ans, elle avait encore parfois l'impression de rêver...

— Vous savez, Hannah, certains jours, je me demande si je ne vais pas me réveiller d'un trop beau rêve. Puis je regarde Alex et Marissa, et je me dis qu'ils sont miens. Vraiment miens. Je ne laisserai jamais personne leur faire de mal, ajouta-t-elle, émue.

— Personne ne leur fera du mal, la rassura Hannah. Maintenant, sans vouloir jouer les infirmières, je crois qu'un peu de thé vous ferait du bien.

Eve dut faire un effort pour sortir de ses pensées. La vision terrible de Deboque, un homme qu'elle n'avait pourtant jamais rencontré, continuait à la hanter. Mais son devoir de princesse lui imposait de ne jamais en parler.

— C'est une très bonne idée, mais je ne vous ai pas amenée ici pour travailler ! Je pensais simplement que cela vous intéresserait de voir où je me livre à mon violon d'Ingres.

— Eve, vous êtes mieux placée que quiconque pour comprendre que si je ne fais rien, je vais m'ennuyer à mourir !

— Ne vous sentez-vous pas en vacances, ici ?

A ces mots, Hannah dut lutter contre le sentiment de culpabilité qui revenait la hanter.

— Je ne le souhaite pas, répondit-elle prudemment.

— Bien. Dans ce cas, pourquoi ne resteriez-vous pas avec moi pour assister aux répétitions ? J'aimerais avoir votre opinion.

— Très volontiers.

— Parfait. La première scène me tracasse un peu. Il ne nous reste plus que quinze jours pour en faire quelque chose de bon, et j'ai des problèmes avec l'auteur.

— Et qui est cet auteur ?

Eve se leva et avoua dans un murmure :

— Moi...

Hannah but une tasse de thé et se faufila dans la dernière rangée de fauteuils. Il ne lui fallut pas longtemps pour se rendre compte que le respect que tous manifestaient à Eve n'était pas seulement dû à son rang, mais aussi à ses réels talents de dramaturge. Elle nota aussi que des gardes du corps discrets la suivaient dans tous ses déplacements. Quand la princesse était dans le théâtre, toutes les entrées étaient bloquées, toutes les portes intérieures gardées.

Eve vint s'asseoir à côté d'elle, et elles assistèrent ensemble à la répétition. Hannah s'appliqua à étudier chaque acteur. Ils étaient visiblement tous de grande qualité et il suffisait qu'Eve intervienne de temps à autre pour que la pièce prenne forme peu à peu sous le regard admiratif d'Hannah.

Mais c'était un acteur, Russ Talbot, qui avait presque réussi à venger Deboque, deux ans auparavant. Hannah ne pouvait négliger l'éventualité que quelqu'un d'autre qu'elle ait été introduit dans la place par Deboque. L'homme était connu pour prendre ses précautions plutôt deux fois qu'une.

— Elle est merveilleuse, vous ne trouvez pas ?

Tirée brutalement de ses réflexions, Hannah sursauta :

— Je vous demande pardon ?

— Chantal O'Hurley... Je la trouve vraiment exquise. Elle accepte de plus en plus difficilement de monter sur une scène. C'est pourquoi je suis si heureuse de l'avoir. Je suis sûre que vous avez déjà vu ses films, en Angleterre.

Hannah concentra son attention sur l'actrice blonde.

— Oui, en effet.

Chantal O'Hurley. Elle fit défiler dans sa mémoire toutes les informations qu'elle possédait sur la jeune femme. Star de cinéma américaine. Vingt-six ans. Domiciliée à Beverly

Hills. Fille de Frances et Margaret O'Hurley, comédiens. Deux sœurs, Abigail et Madelaine. Un frère, Trace.

Hannah fronça les sourcils. Elle savait presque tout des sœurs, mais pas grand-chose sur le frère. Quoi qu'il en soit, la jeune femme était une actrice de talent et n'avait aucunes accointances connues avec un quelconque parti politique. Malgré tout, Hannah se promettait de garder un œil sur elle.

Eve se pencha vers son amie et souffla :

— Je n'arrive pas à croire qu'elle est là, en train de réciter le texte que j'ai écrit. On dirait qu'il n'existe aucune émotion qu'elle ne puisse faire passer dans sa voix.

— Je suis sûre qu'elle doit être très flattée de jouer une pièce écrite par la princesse Eve de Cordina.

— Si la pièce avait été mauvaise, j'aurais pu être Impératice du Monde que Chantal n'aurait pas accepté de l'interpréter.

— Un membre de la famille royale ne saurait écrire de mauvaises pièces, déclara une voix masculine.

— Alexander ! s'exclama Eve. Que fais-tu ici ?

Il se pencha pour lui baiser la main avant de répondre :

— Mais moi aussi, le théâtre m'intéresse. Asseyez-vous, je vous en prie, je n'avais pas l'intention de vous déranger.

— Non, soupira Eve en jetant un coup d'œil à ce qui se passait sur scène. Vous êtes venu me surveiller.

C'était vrai, bien sûr, mais le prince se contenta de hausser les épaules avant de s'asseoir.

— Vous oubliez que je suis le président du Centre. Par ailleurs, c'est la pièce écrite par ma femme qu'on répète. Il me paraît normal d'y assister.

Eve sentit son sentiment d'indignation balayé par la tendresse.

— Vous êtes surtout venu voir si je ne restais pas trop longtemps debout, murmura-t-elle en l'embrassant sur la joue. Et je vous en remercie. Hannah, voulez-vous rassurer Son Altesse ? J'ai été très raisonnable, n'est-ce pas ?

— Votre Altesse ne doit pas s'inquiéter, déclara Hannah. J'ai veillé à ce que la princesse prenne soin de sa santé.

Un sourire adoucit le visage sévère du prince.

— Merci, Hannah, je sais que je peux compter sur vous.

Eve lui posa tendrement la main sur le bras.

— Vous voyez que je n'exagérais pas, Hannah, en disant à quel point je suis surveillée.

Hannah ne répondit rien, mais les regarda avec une pointe... d'envie. Tant d'amour ! On eût dit que la force de ce sentiment les entourait d'une sorte d'aura. Comprenaient-ils à quel point était rare et précieux ce lien qui les unissait ?

— Maintenant que je vous ai interrompu, intervint Alexander, je vous invite au déjeuner avec le sénateur américain. Nous pourrions avoir terminé vers 15 heures, de manière à retrouver Marissa après sa sieste.

— Je croyais que tu avais une réunion, cet après-midi !

— Je l'ai annulée. J'avais envie de profiter de ma petite famille.

34

La joie illumina le visage de la jeune femme.

— Accordez-moi cinq minutes pour aller chercher mes affaires, et je suis à vous. Hannah, vous nous ferez le plaisir de vous joindre à nous, j'espère ?

— Si cela ne vous ennuie pas, je préférerais assister à la fin de la répétition.

Hannah avait déjà pensé qu'une fois seule, elle pourrait plus facilement explorer le reste du bâtiment. S'il existait des failles au système de sécurité, elle les trouverait.

Le temps qu'Eve aille chercher ses affaires, Alexander s'assit à ses côtés.

— Vous vous faites beaucoup de souci pour elle, n'est-ce pas ? remarqua doucement Hannah en posant une main légère sur son bras. Rassurez-vous, Eve est une femme solide.

— Je sais.

Mais il ne parvenait pas à oublier le souvenir du corps de sa femme s'effondrant entre ses bras, atteint d'une balle tirée à bout portant.

— Je ne vous ai pas encore dit combien je vous étais reconnaissant de tout ce que vous faites pour ma femme. Elle a besoin d'amitié. J'ai bouleversé sa vie, un peu égoïstement, car j'ai découvert que je ne pouvais pas vivre sans elle. Mais tout ce qui pourra lui redonner l'impression de mener une vie normale sera le bienvenu. Vous me comprenez. Vous savez ce que sont mes obligations.

— Oui, ne vous inquiétez pas. Mais je sais aussi reconnaître une femme heureuse.

Quand il se tourna pour la regarder, elle se rendit compte à quel point il ressemblait à son père : même visage étroit, presque austère, mêmes traits aristocratiques, même bouche aux lèvres fermes, à l'expression décidée.

— Je vous remercie, Hannah. Je crois que votre présence parmi nous sera un bienfait pour tous.

— Je l'espère, répondit la jeune femme en tournant son attention vers la scène. Sincèrement, je l'espère...

Une fois seule, Hannah s'attarda dans la salle encore une demi-heure. Oui, décidément, la pièce était bonne, se dit-elle. Et même captivante. Mais elle avait un autre rôle à jouer...

Les gardes étaient toujours là, mais en tant que dame de compagnie et confidente de la princesse, elle pouvait se déplacer en toute liberté.

Elle avait dissimulé dans son sac à main un minuscule appareil photo, mais décida de ne pas s'en servir tout de suite. Son entraînement lui avait appris à faire d'abord confiance à son don d'observation et à sa mémoire.

Un bâtiment de la taille du Centre d'arts appliqués n'était pas facile à surveiller. Hannah félicita mentalement Reeve MacGee. Il y avait partout des détecteurs habilement dissimulés, en tout cas pour un œil moins exercé que le sien, et de nombreuses caméras. Le système n'était branché que lorsque le Centre était fermé.

Des laissez-passer étaient exigés pour franchir les portes d'entrée en dehors des heures et des lieux d'ouverture au public. Néanmoins, les soirs de représentation, il suffisait d'acheter un billet pour entrer dans la place. Pour un homme comme Deboque, c'était un jeu d'enfant.

Tout en déambulant dans les vastes pièces et dans les couloirs, la jeune femme comparait les lieux au plan qu'on lui avait donné. Trop de recoins et d'endroits pour se dissimuler, pensa-t-elle. Malgré tous les efforts de Reeve, le bâtiment était extrêmement vulnérable.

Elle pénétra dans la salle des costumes en se demandant si les gardes connaissaient de vue tout le personnel. Bien sûr, tous les laissez-passer avaient une photo, mais il n'y avait rien de plus facile, avec un bon maquilleur, que de se grimer pour ressembler à quelqu'un ! Une fois à l'intérieur, l'homme pourrait se cacher très facilement. Encore plus si on pouvait mettre un de ses hommes à la place d'un gardien...

Oui, décidément, elle mettrait ce scénario dans son rapport et laisserait ses supérieurs y songer. Elle préciserait que personne n'avait vérifié le contenu de son sac à main. Un petit explosif pourrait y être très facilement dissimulé.

Elle pénétra dans une immense salle de répétition, aux murs couverts de miroirs, et sursauta en voyant une silhouette se diriger vers elle. Puis elle éclata du même rire profond et mélodieux qu'elle avait eu dans le jardin...

C'était son propre reflet qui l'avait effrayée. Dieu, comme elle était sévère dans ce tailleur marron !

Pourtant, elle avait tout lieu d'être satisfaite. Ces vêtements disgracieux étaient pour elle une garantie supplémentaire de discrétion. D'un œil critique, elle s'observa dans le miroir et, une fois encore, se trouva trop maigre... comme au temps de son adolescence. L'entraînement intensif qu'elle avait suivi — équitation, natation, tir —, l'avait musclée sans cependant arrondir sa silhouette.

A l'école, elle avait appris avec la même aisance le russe, le français, et même suffisamment de chinois pour étonner son père, mais elle était allée seule à son premier bal...

Et puis, à vingt ans, son corps avait changé. Mais Hannah s'était empressée de dissimuler ses charmes nouveaux sous des vêtements toujours un peu trop grands. Elle avait déjà choisi sa voix. La beauté attirait toujours l'attention, et, pour ce qu'elle avait choisi de faire, il valait mieux passer inaperçue.

En regardant maintenant son reflet dans le miroir, elle pouvait être satisfaite. Aucun homme ne la désirerait. Personne ne pouvait suspecter une jeune femme aussi banale d'apparence, et au demeurant d'excellente famille, de trahison ou de violence. Seuls quelques rares individus, plus attentifs que les autres, pressentaient qu'elle était capable des deux.

Hannah ne parvenait pas à détourner son attention de son reflet dans la glace. La dissimulation était son lot depuis qu'elle avait atteint l'âge adulte, mais elle ne pouvait s'empêcher d'éprouver un vague sentiment de culpabilité chaque fois qu'Eve lui manifestait des témoignages d'amitié.

Tu es ici pour ton travail, ne cessait-elle de se répéter. Pas d'attachement personnel, pas de lien sentimental. C'était la règle du jeu essentielle.

L'envie aussi était à proscrire, se rappela-t-elle. Elle ne devait pas s'attendrir sur l'amour qu'Eve et Alexander éprouvaient l'un pour l'autre. Encore moins perdre son temps à regretter qu'il ne lui soit jamais arrivé la même chose.

Il n'y avait pas de place pour l'amour dans sa vie. Il n'y avait que des buts à atteindre, des enjeux et des risques.

Mais avant même qu'elle n'ait pu s'en empêcher, le souvenir de Bennett s'imposa à sa mémoire. Elle se rappelait presque douloureusement la manière dont il l'avait regardée et lui avait souri au clair de lune.

Puis elle se ressaisit, en colère contre elle-même. « Utilise-le si tu veux, conclut-elle, mais ne pense pas à lui autrement que comme un moyen d'atteindre ton but. » La période romantique de la vie s'était achevée pour elle à seize ans. Et dix ans plus tard, il n'était plus question, lors de sa mission la plus importante, de revenir sur ce fait.

Hannah allait tourner les talons quand elle entendit des pas dans le couloir. Aussitôt alertée, elle baissa les yeux et sortit de la pièce.

— Ah ! Vous êtes là !

En reconnaissant la voix de Bennett, la jeune femme eut un imperceptible mouvement de recul, mais elle se força à sourire avec une respectueuse inclinaison de tête.

— Votre Altesse ?

— Vous faites le grand tour ?

Il s'avança plus près, se demandant pourquoi, étant aussi fade et banale qu'une vieille fille, elle continuait à l'intriguer...

— Oui, Monsieur. J'espère que vous n'y voyez pas d'inconvénient.

Il lui prit la main et la força à le regarder dans les yeux. Il y avait quelque chose dans le regard... A moins que ce ne fût dans sa manière de parler, avec cet accent anglais si correct, si neutre.

— Absolument aucun. J'ai quelque chose à faire en ville, et Alexander m'a suggéré de faire un saut ici pour savoir si vous souhaitiez rentrer.

— C'est vraiment très gentil de votre part.

Elle sut dissimuler sa contrariété. Un chauffeur anonyme lui aurait permis de profiter du trajet pour ancrer dans sa mémoire les informations qu'elle venait de recueillir.

Tandis qu'ils regagnaient la sortie, Hannah se crut obligée de faire la conversation.

— C'est vraiment un endroit passionnant. Je n'avais encore jamais vu un théâtre sous cet aspect-là.

— C'est le territoire d'Eve. Si vous restez quelque temps avec nous, elle vous trouvera vite quelque chose à faire. Avec moi, c'est porter des caisses. Les plus lourdes possible !

Hannah eut un petit rire amusé et lança :

— Les hommes sont faits pour cela, n'est-ce pas ?

— Je comprends de mieux en mieux pourquoi Eve vous apprécie, répliqua-t-il en souriant. A propos, avez-vous eu un peu de temps pour visiter Cordina, Hannah ?

C'était la première fois qu'il l'appelait par son prénom...

— J'ai à peine eu le temps de sortir, jusqu'à présent, Votre Altesse. Mais dès que je serai un peu plus familia-risée avec l'emploi du temps d'Eve, j'ai bien l'intention de faire quelques excursions. J'ai entendu dire que votre musée était d'excellente qualité. Le bâtiment lui-même, d'après mon guide, est un superbe exemple d'architecture Renaissance...

— Vous aimez l'eau ?

La question inattendue la fit sourire.

— Bien sûr. L'air marin est excellent pour la santé.

Avec un rire, Bennett marqua une pause au milieu de l'escalier.

— Oui, mais est-ce que vous l'aimez ?

Il avait l'étrange talent de pouvoir regarder une femme comme s'il la voyait pour la première fois. Et comme s'il était important de la regarder. Malgré le solide contrôle qu'elle avait sur elle-même, Hannah sentit son pouls s'accélérer...

— Oui. Ma grand-mère avait une propriété en Cornouailles. J'y passais tous mes étés, quand j'étais petite.

— Je dois aller à Coriada en visite officielle dans quelques jours. Cela vous plairait de m'accompagner ?

S'il l'avait prise brutalement dans ses bras, elle n'aurait été pas moins surprise. La surprise se transforma vite en prudence, et la prudence en méfiance. Mais par-dessus tout, il y avait le plaisir de constater qu'il désirait sa compagnie. Et c'était ce sentiment de plaisir qui l'inquiétait !

— C'est très aimable à vous, Votre Altesse, mais Eve peut avoir besoin de moi.

— Eh bien, nous lui demanderons son avis d'abord.

Il voulait qu'elle vienne. Il se surprenait à attendre avec impatience ces quelques heures qu'ils pourraient passer ensemble. Peut-être était-ce pour le simple plaisir du défi, la curiosité de savoir ce qui se cachait sous cette apparence discrète et presque correcte ? Il se prit à insister :

— Cela vous plairait ?

— Oui, en effet.

Hannah essaya de se persuader qu'elle aurait ainsi l'occasion de voir comment le système de sécurité fonctionnait à l'extérieur du palais et hors de la capitale. Mais la vérité était beaucoup plus simple : elle avait envie d'y aller.

— Je vous aiderai à passer le temps, ne put-elle s'empêcher d'ajouter. Ce genre de visites doit être effroyablement ennuyeux.

Bennett lui prit les deux mains avec un petit rire amusé.

— J'aime beaucoup votre esprit, Hannah.

Sa bouche se rapprochait de sa paume entrouverte quand retentirent soudain des voix. Bennett redressa la tête d'un air ennuyé et aperçut Chantal.

— La colère est quelque chose qui doit se voir, était-elle en train de dire en marchant d'un pas si rapide que le metteur en scène était obligé de la suivre en courant. Julia n'est pas une femme passive. Elle ne cache jamais ses sentiments. Mais ne vous inquiétez pas, Maurice. Je ferai passer ça en douceur. Je connais mon métier.

— Bien sûr, ma chérie, je n'en doute pas une seconde, mais...

— Mademoiselle !

Bennett regardait la jeune femme du haut des escaliers, et Hannah vit pour la première fois l'expression du prince devant une très belle femme.

Chantal, écartant d'un geste gracieux sa lourde chevelure blonde, leva les yeux. Même une observatrice aussi dépourvue de passion que s'efforçait de l'être Hannah ne pouvait s'empêcher d'admirer la subtile harmonie de tant de beauté, de charme et de sensualité aussi parfaitement réunis en un seul être.

— Votre Altesse ! s'exclama-t-elle d'une chaude voix de soprano tout en faisant une jolie révérence.

Elle commença à monter l'escalier, et Bennett descendit à sa rencontre avec empressement. Ils s'arrêtèrent à mi-chemin, et Chantal attira vers elle la tête brune de Bennett. Hannah les vit échanger un long baiser...

— Cela fait si longtemps ! murmura l'actrice.

— Beaucoup trop longtemps, répondit Bennett en lui prenant le menton entre ses paumes. Vous êtes plus belle que jamais. Tout simplement éblouissante !

— Je n'y peux rien, c'est de naissance, répondit Chantal. Mais vous aussi, Bennett, vous êtes le plus bel homme que je connaisse. Si je n'étais pas complètement dépourvue de bon sens, je m'offrirais comme parti à peu près présentable.

— Si je n'étais pas aussi impressionné, j'accepterais.

Ils s'embrassèrent de nouveau en riant, avec la familiarité de deux vieux amis puis Chantal s'écarta pour regarder l'inconnue qui se tenait en haut de l'escalier.

— Une amie à vous ?

Jetant un coup d'œil par-dessus son épaule, Bennett tendit une main vers Hannah.

— Hannah, venez que je vous présente à l'incomparable Chantal.

Hannah descendit lentement l'escalier, raidie par une tension insurmontable. Elle se plaça à côté de Bennett, en gardant cependant ses distances.

— Lady Hannah Rothchild, Chantal O'Hurley.

— Comment allez-vous ?

Impeccable et souriante, Hannah tendit la main. Chantal lui rendit son regard inexpressif.

— Très bien, merci.

En tant que femme, et surtout en tant qu'actrice, elle ne pouvait s'empêcher de s'étonner de son apparence. Pourquoi une femme manifestement bien faite s'enlaidissait-elle à ce point ?

— Lady Hannah a bien voulu venir tenir compagnie à Eve pendant quelques mois.

— C'est très gentil ! Vous verrez, Cordina est un très beau pays. Vous vous y plairez.

Chantal se tourna vivement vers Bennett.

— Il faut que je vous quitte, déclara-t-elle. Essayez de trouver un peu de temps à me consacrer, chéri.

— Bien sûr. Vous venez dîner samedi avec le reste de la troupe, n'est-ce pas ?

— Oui. Alors, à bientôt. Bonne journée, lady Hannah. Elle tourna les talons, après avoir gratifié Bennett d'une petite tape sur la joue. Le metteur en scène lui emboîta le pas, en courant presque.

— Quelle femme ! murmura Bennett en la suivant des yeux.

— Oui, elle est vraiment splendide, dit Hannah en écho.

— Et très ambitieuse. Elle a décidé une fois pour toutes d'être la meilleure, et elle réussira ! Chaque fois que je la vois dans un nouveau film, je suis tout simplement époustouflé.

Hannah sentit sa main se crisper sur son sac et s'efforça de rester impassible.

— Vous admirez les gens qui ont de l'ambition, Votre Altesse ?

— Rien ne se fait sans elle.

— Beaucoup d'hommes trouvent que chez une femme, c'est un peu déplacé.

— Beaucoup d'hommes sont totalement dépourvus de bon sens.

— Je ne peux qu'être d'accord, répliqua un peu vivement Hannah, à tel point que Bennett eut l'air étonné.

— Pourquoi ne suis-je jamais tout à fait sûr que vous n'êtes pas en train de m'insulter, Hannah ?

— Je vous demande pardon, Monsieur. Je ne faisais qu'approuver.

Il s'arrêta de nouveau et lui prit le menton entre les mains.

— Hannah, comment se fait-il que, quand je vous regarde, j'ai l'impression de ne voir qu'une partie de vous-même ?

La jeune femme sentit un grand froid l'envahir. Se douterait-il de quelque chose ?

— Je ne comprends pas ce que vous voulez dire.

Il passa son pouce sur la joue de la jeune femme et s'attarda un peu plus qu'il n'était convenable près de ses lèvres douces, chaudes.

— Je m'intéresse beaucoup à vous. Beaucoup plus que je ne devrais. Avez-vous aussi une réponse à cela ?

Une chaude couleur d'ambre brillait dans ses yeux, et la jeune femme ne parvenait pas à détourner son regard. Le prince se comportait comme un seigneur, et aussi comme un brigand. Ce qui le rendait d'autant plus attirant. Et d'autant plus dangereux...

— Votre Altesse...

Cette fois, Hannah se sentait succomber.

Mais elle ne pouvait pas. Elle n'avait pas le droit.

— Non, Monsieur, je n'ai pas de réponse. Si ce n'est, peut-être, que les hommes sont souvent intrigués par une femme simplement parce qu'elle est un peu différente. Surtout s'ils en ont connu beaucoup.

Il s'écarta à contrecœur.

— C'est ce que nous verrons. Nous avons tout le temps d'y réfléchir.

Puis, regardant sa montre, il ajouta :

— Il faut que je vous raccompagne maintenant. Sinon, Eve va s'inquiéter...

3.

Hannah avait accès à toutes les parties du palais, y compris les jardins. En tant qu'invitée de la famille royale, tout lui était permis. Mais sa position n'offrait pas que des avantages, car elle avait aussi sa garde personnelle... Néanmoins, elle avait suffisamment d'entraînement pour faire croire qu'elle était tranquillement enfermée dans sa chambre alors qu'elle se trouvait n'importe où ailleurs. Cependant, il lui était malgré tout difficile d'établir un contact avec l'extérieur... Il était hors de question d'utiliser les lignes téléphoniques du palais. Une conversation, même codée, pouvait attirer les soupçons. Et elle avait toujours donné la préférence aux contacts directs, surtout quand elle ne connaissait pas ses interlocuteurs.

Deux jours après son arrivée à Cordina, elle avait envoyé une lettre adressée à une vieille amie de la famille, censée demeurer dans le Sussex, et qui en fait n'existait pas. Son destinataire réel était l'un des nombreux correspondants que Deboque avait en Europe. Si, par hasard, la lettre était interceptée, le lecteur suspicieux n'y aurait trouvé que de

47

vagues considérations sur ses impressions de voyage, et quelques détails sur son installation.

Mais une fois décodé, le message avait un sens tout à fait différent. Hannah avait donné son nom, son rang dans l'organisation et sollicité un rendez-vous, fixant elle-même le lieu et la date. L'information serait directement transmise à son contact à Cordina. Tout ce qu'elle avait à faire, maintenant, c'était de s'arranger pour aller seule au rendez-vous.

Plus qu'une semaine, se dit-elle, une fois la lettre envoyée. Plus qu'une semaine, et elle pourrait enfin mettre en œuvre la mission pour laquelle elle était à Cordina. Elle avait largement de quoi s'occuper, en attendant.

Ce soir-là, la princesse Gabriella et sa famille étaient en visite au palais. Tout le personnel était sens dessus dessous, sans doute à cause de la présence des enfants, pensa Hannah. La précieuse collection d'œufs de Fabergé avait été soigneusement rangée...

Hannah avait passé une journée paisible. Dans la matinée, elle avait rendu visite à Eve et Marissa, puis elle avait déjeuné avec les membres de la Société historique. Et, avant que le soir tombe, elle avait exploré les greniers à la recherche d'issues non protégées.

Elle fixa soigneusement son collier de perles devant la psyché et se prépara à rejoindre la famille dans la grande salle à manger. Il serait très intéressant de les voir tous ensemble, car elle devait apprendre à les connaître aussi intimement que possible. Une seule erreur, un jugement trop hâtif, et tous ses efforts auraient été vains.

— Venez ici, petit démon !

Hannah entendit un rire aigu, un bruit sourd, puis des pas précipités. Avant même qu'elle ait eu le temps d'ouvrir la porte, celle-ci claqua violemment contre le mur. Un tout petit garçon aux cheveux noirs fit irruption dans la pièce. Il lui lança un grand sourire, se mit à quatre pattes et se faufila avec agilité sous le lit.

— Cachez-moi, s'il vous plaît !

Sa voix était assourdie par le lourd couvre-pieds de satin.

Hannah vit la haute silhouette de Bennett se profiler dans l'encadrement de la porte.

— Vous n'auriez pas vu un petit garçon totalement dépourvu de manières et de discrétion ?

— Je... non ! déclara-t-elle après une seconde d'hésitation. Mais j'ai cru en effet entendre quelqu'un passer devant ma porte en courant.

— Merci. Si vous le voyez, arrangez-vous pour l'enfermer dans une garde-robe.

Il ressortit aussitôt, et Hannah l'entendit crier :

— Dorian, petit bandit, vous ne m'échapperez pas toujours !

Elle attendit qu'il ait tourné l'angle du corridor puis, s'approchant du lit, s'agenouilla.

— Je crois que la voie est libre, maintenant.

Le garçonnet réapparut, vêtu d'une culotte de velours noir et d'une chemise de satin blanc maculée de poussière. Un petit diable, mais aussi un prince...

— Je vois que vous êtes anglaise. Je parle très bien l'anglais.

— En effet.

— Merci de m'avoir caché, dit-il en s'inclinant légèrement. Mon oncle était en colère, mais cela ne dure jamais bien longtemps. Je suis le prince Dorian.

Hannah fit une courte révérence.

— Votre Altesse, c'est un plaisir de vous rencontrer. Je suis lady Hannah Rothchild.

Puis, incapable de résister plus longtemps, elle s'agenouilla de nouveau pour être à sa hauteur et demanda :

— Qu'est-ce que vous lui avez pris ?

Dorian jeta un coup d'œil vers la porte fermée, un autre à Hannah, puis sourit mystérieusement :

— Ça ! déclara-t-il d'un air satisfait en sortant un petit Yo-Yo de sa poche.

L'objet avait dû être bleu, mais il avait la teinte grisâtre des vieux objets de bois. Hannah l'examina avec le respect requis.

— Il appartient à Ben... à Son Altesse ? se corrigea-t-elle.

— Il est merveilleux, n'est-ce pas ? On lui a offert quand il avait cinq ans. Il n'aime pas que je joue avec, mais un jouet, c'est fait pour ça !

— Très juste, rétorqua sérieusement Hannah. Et il ne doit plus s'en servir très souvent !

— Il le garde sur une étagère. Ce qui l'ennuie, c'est que je ne sais pas très bien m'en servir et que j'emmêle chaque fois la ficelle.

— C'est une question d'entraînement. Vous permettez, Votre Altesse ?

Dorian hésita un bref instant, puis ouvrit la main.

— Les filles ne jouent pas avec ce genre d'objet, remarqua-t-il d'un air un peu méprisant. Elles préfèrent les poupées.

— Pas toujours ! Regardez...

Hannah passa adroitement son index dans le nœud. La ficelle n'était visiblement pas aussi ancienne que le jouet lui-même. Elle avait dû être changée à plusieurs reprises. D'un geste naturel, elle laissa le Yo-Yo glisser doucement vers le sol, puis le fit revenir dans la paume de sa main.

Captivé, Dorian le regardait avec de grands yeux écarquillés.

— Oh, quel style !

— Merci, Monsieur. J'en avais un, moi aussi, quand j'étais petite. Il était rouge. C'est mon chien qui l'a mangé.

— Vous savez faire des figures ? L'autre jour, j'ai essayé de faire la grande roue, et j'ai cassé une lampe. Oncle Bennett était furieux. Mais c'est lui qui a caché les morceaux pour que je ne me fasse pas attraper.

Hannah ne put s'empêcher de sourire en imaginant la scène...

— Une figure ? répéta-t-elle en continuant à manipuler le jouet.

Et soudain, d'un geste vif, elle fit tourner le Yo-Yo autour de son poignet. Quand il retomba avec un petit bruit sec dans la paume de sa main, Dorian applaudit avec enthousiasme.

— Oh ! Une autre, s'il vous plaît !

— Bravo, lady Hannah, dit soudain la voix grave de Bennett. Je ne vous connaissais pas ce talent !

Hannah enferma précipitamment l'objet dans sa main avant de faire une profonde révérence.

— Votre Altesse... Je ne vous ai pas entendu frapper.

— Je n'ai pas frappé.

Bennett poussa la porte et se dirigea sans cérémonie vers le lit sur lequel Dorian s'était réfugié.

— Elle est merveilleuse, n'est-ce pas, oncle Bennett ?

Bennett lui saisit l'oreille avant de répondre :

— Nous discuterons des qualités de lady Hannah un peu plus tard, si tu veux bien, mon garçon. En attendant, rends-moi ce qui m'appartient.

Hannah lui tendit le jouet en s'efforçant de garder un air digne.

— Cela peut paraître curieux, mais j'y tiens, expliqua le prince en mettant le Yo-Yo dans sa poche.

Se retenant de rire, Hannah répondit sérieusement :

— Je comprends, Monsieur. Je vous demande pardon.

— Inutile de vous forcer. Et ce petit diable était caché sous vos jupes pendant que je le cherchais partout ?

— Plus exactement sous le couvre-lit, Votre Altesse. Votre description était si vague que je n'ai pas pensé un seul instant qu'il pouvait s'agir de cet adorable petit garçon !

— J'ai toujours su admirer les bons menteurs.

Il s'approcha tout près d'elle et lui fit relever le menton.

— Et j'en suis d'autant plus intrigué, ajouta-t-il, songeur.

— Lady Hannah sait faire la grande roue !

— Fascinant, rétorqua le prince en effleurant la joue de la jeune femme avant de s'écarter légèrement.

Dorian en profitait déjà pour sortir...

— Ravi de vous avoir rencontrée, lady Hannah, lança-t-il avant de s'éclipser.

Bennett se tourna de nouveau vers elle.

— A propos de Yo-Yo, lady Hannah...

— Oui, Monsieur ?

— J'aimerais que vous attendiez que je sois sorti pour laisser libre cours à votre envie de rire.

— Comme vous voudrez, Votre Altesse.

— C'est un cadeau de ma mère quand j'étais malade, un été de mon enfance. J'en ai offert une demi-douzaine à ce petit démon, mais c'est celui-là qu'il veut.

— Moi aussi, j'ai une poupée rousse que ma mère m'a offerte quand je me suis cassé un poignet, en tombant de cheval. Je ne m'en suis jamais séparée.

Ce fut au moment où elle sentit la main de Bennett sur son poignet qu'elle comprit qu'elle venait de lui dire quelque chose qu'elle n'avait jamais confié à personne. Et tandis qu'elle s'exhortait à plus de prudence, il posa un baiser au creux de sa paume...

— Lady Hannah, votre cœur est aussi généreux que votre tête est intelligente. Descendons. Il est temps de rejoindre le reste de ma famille...

Reeve MacGee serait un formidable obstacle. Hannah l'avait déjà prévu, mais c'est en le voyant avec sa famille qu'elle en acquit la certitude. Elle avait eu connaissance de son passé, depuis son entrée dans la police comme simple inspecteur jusqu'à ses récentes missions pour le compte du gouvernement des Etats-Unis.

Son entrée à Cordina, au sein de la famille royale, avait tout d'un roman, mais Reeve n'était pas un poète. Il était sorti d'une retraite volontaire à la demande du prince Armand quand sa fille Gabriella avait été kidnappée. Bien qu'elle ait pu s'échapper, cette mésaventure l'avait traumatisée, et elle était devenue amnésique. Reeve avait été engagé pour la protéger.

Nul doute que Deboque était l'instigateur de tout cela, mais bien que sa maîtresse se soit laissée prendre, elle ne l'avait jamais avoué. Comme la plupart des hommes au pouvoir illimité, Deboque inspirait la loyauté. Ou la peur.

Tandis que Gabriella luttait pour sortir de son amnésie, elle et Reeve étaient tombés amoureux l'un de l'autre. Et, bien que Reeve ait refusé de recevoir un titre quelconque après leur mariage, il avait accepté de devenir chef de la Sécurité du royaume de Cordina. Malgré son talent et son expérience, le palais avait été infiltré, une fois de plus.

Deux ans auparavant, Alexander avait failli être assassiné. Depuis ce jour, Reeve était parvenu à éviter toute autre menace, mais Deboque était sur le point de sortir de prison. Libre, il deviendrait redoutable.

Hannah observait Reeve. Il était visiblement prêt à tout pour protéger sa femme et ses enfants...

Les mains posées sur ses genoux, Hannah écoutait poliment la conversation.

— Nous sommes tous persuadés que votre pièce va être un grand succès, déclara Gabriella avec un bon sourire.

— J'en suis maintenant au point de souhaiter que tout cela soit terminé, soupira la jeune femme en prenant Marissa sur ses genoux.

— Mais vous ne vous sentez pas trop fatiguée ?

— Je me sens parfaitement bien. Entre la surveillance sans faille d'Alex et l'œil d'aigle d'Hannah, je ne peux pratiquement pas bouger le petit doigt sans certificat médical !

Gabriella se tourna vers Hannah.

— C'est vraiment très gentil à vous d'être venue. Je sais à quel point il peut être réconfortant d'avoir une amie avec soi dans de tels moments. Vous n'avez pas trop le mal du pays ?

— Je me plais beaucoup à Cordina, répondit simplement Hannah.

— J'espère que vous viendrez nous voir dans notre ferme !

— J'en serais ravie. J'en ai beaucoup entendu parler. C'était là que Gabriella avait été kidnappée alors que ce n'était encore qu'un bout de terre désertique.

— Eh bien, nous organiserons ça un jour, annonça Reeve d'une voix paisible en allumant une cigarette. Alors, ce pays vous a séduite, vous aussi ?

Hannah croisa son regard.

— Totalement, Monsieur. D'après ce que j'ai lu sur Cordina avant mon départ, je suis sûre que mon séjour va être très instructif. Je suis impatiente de visiter le musée...

Marissa se dirigeait vers elle en vacillant encore un peu. Hannah lui tendit les bras et l'attira sur ses genoux.

— Votre père se porte bien ? lui demanda soudain Reeve dans un nuage de fumée.

Hannah secouait son collier de perles devant la petite fille pour l'amuser.

— Très bien, merci. On dirait que plus je vieillis, plus il rajeunit.

— Quelle que soit son importance, la famille est toujours le centre de notre vie, n'est-ce pas ?

— Oui, c'est vrai, murmura Hannah en continuant à jouer avec le bébé. Il est seulement dommage que les familles, comme la vie, soient plus compliquées que ce que nous pensions quand nous étions enfants.

Bennett se balançait lentement sur sa chaise en se demandant pourquoi il avait l'impression que, s'il avait su lire entre les lignes, il aurait entendu beaucoup plus que cette simple conversation.

— Vous connaissez le père d'Hannah, Reeve ?

— J'ai eu l'occasion de lui être présenté, répondit-il avec un sourire aimable. Il paraît que Dorian vous a dérobé une fois de plus votre Yo-Yo ?

— Oui, et je l'ai récupéré, répondit Bennett en tapotant avec satisfaction la poche de son gilet. Mais cette fois, il avait une complice !

56

Il tourna légèrement la tête pour regarder Hannah. Gabriella eut un petit sourire malicieux :

— Il faut que je m'excuse pour mon fils, lady Hannah. C'est lui qui vous a entraînée dans le crime !

— Je vous en prie. Je me suis beaucoup amusée. Dorian est charmant.

— Charmant n'est peut-être pas tout à fait le mot exact ! protesta Reeve avec humour. Puisqu'on en parle, poursuivit-il, je vais aller voir un peu ce qu'ils fabriquent. Adrienne est à l'âge où on ne sait jamais si elle va empêcher son petit frère de se noyer, ou si elle va le convaincre que cela peut être amusant !

Eve se leva pour prendre Marissa des genoux d'Hannah.

— Vous les gâtez trop. Si vous voulez bien m'excuser, je dois aller surveiller le repas de la petite.

— Je vais avec vous, intervint Gabriella. Nous pourrons parler de l'organisation du grand bal de Noël.

Eve posa la main sur le bras d'Hannah pour l'empêcher de se lever :

— Je vous en prie, Hannah, restez ici pour vous détendre un peu. Nous ne serons pas longues.

— Faites attention, toutes les deux. Je vous connais... Le repas est dans moins d'une heure, commenta Bennett en sortant un cigare d'un étui en argent.

— A chacun ses priorités, plaisanta Eve en l'embrassant.

Alexander se leva à son tour.

— Moi aussi, j'ai besoin de me dégourdir les jambes. Je vais rejoindre Reeve.

A ce moment-là, la porte s'ouvrit, et un serviteur annonça :

— Je vous demande pardon, Votre Altesse. Un appel de Paris.

— Je vais le prendre dans mon bureau. Si vous voulez bien m'excuser, lady Hannah, dit le prince en se penchant vers la jeune femme pour lui baiser la main. Je suis sûr que Bennett se fera un plaisir de vous faire visiter le palais. Connaissez-vous la bibliothèque ?

— Si cela vous intéresse de contempler des murs couverts d'étagères, maugréa Bennett tandis que son père s'éloignait, il n'y a pas mieux.

— J'aime beaucoup les livres, rétorqua Hannah.

— Dans ce cas...

Il connaissait mille autres manières plus agréables de passer une heure, mais puisqu'il n'avait pas le choix... Au passage, dans les salons et les corridors, Hannah admira l'impressionnante collection de tableaux du palais, et s'étonna que Bennett, qui répondait à ses questions, possède une grande culture picturale et esthétique. Elle apprit aussi, entre autres, qu'il faisait partie du conseil d'administration du musée.

En remarquant son expression médusée, Bennett éclata de rire.

— Le fait d'aimer les chevaux n'empêche pas d'apprécier les belles choses, au contraire. Que pensez-vous de ceci ?

Il s'était arrêté devant une petite aquarelle. Elle représentait le palais royal, dont les murs blancs et les tourelles semblaient enveloppés d'une brume dorée. Le bleu du ciel, incroyable de délicatesse, tranchait avec l'aigue-marine de la mer. Ce devait être l'heure magique du lever du soleil. Tout était rassemblé dans cette œuvre exquise : la tradition, le fantastique d'une demeure princière, et la réalité d'une nature incroyablement belle.

— C'est vraiment superbe. Qui est l'auteur ?

— Mon arrière-arrière-grand-mère. Elle a peint des centaines d'aquarelles, puis les a rangées dans un grenier. A l'époque, une femme peignait pour son plaisir, pas pour se faire connaître.

Voyant Hannah toujours perdue dans la contemplation du tableau, il poursuivit :

— Il y a quelques années, j'en ai découvert plusieurs enfermées dans une malle. La plupart d'entre elles étaient endommagées. C'était un vrai crève-cœur ! Mais j'ai pu en sauver quelques-unes, et surtout, celle-là.

Il caressa respectueusement le cadre doré et conclut :

— Pour moi, c'était comme revenir des dizaines d'années en arrière, retrouver une partie de soi-même. Ce tableau aurait pu aussi bien être peint à notre époque...

Hannah lutta contre l'émotion qui la poussait vers lui et s'écarta légèrement.

— En Europe, nous avons la richesse de notre passé. A nous de veiller à transmettre intact l'héritage.

Bennett leva les yeux et rencontra un regard insondable.

— Nous avons au moins ceci en commun, n'est-ce pas ? En Amérique, tout le monde vit en état d'urgence. En Europe, nous savons qu'il faut du temps pour faire du solide. Les hommes politiques changent, les gouvernements se succèdent, mais l'Histoire reste.

Elle dut détourner les yeux. S'il commençait à lui apparaître sous le jour d'un homme sensible et intelligent, émouvant même, parfois, sa mission serait singulièrement compromise !

— Y en a-t-il d'autres ? demanda-t-elle d'une voix un peu tremblante.

— A peine une dizaine, malheureusement.

Pour une raison qu'il ne parvenait pas encore à déterminer, il avait envie de lui faire partager ce qu'il aimait.

— Il y en a une dans le salon de musique. Les autres sont au musée. Venez...

Il lui prit de nouveau le bras et la guida dans d'interminables couloirs... Ils entrèrent dans une pièce dont la porte était ouverte. L'immense piano blanc qui trônait au milieu semblait avoir donné le ton à la décoration de la pièce. Dans un angle, une harpe. Protégés derrière une vitrine, d'anciens instruments à vent et une lyre. Là encore, de ravissants bouquets de fleurs. Des grappes de jasmin semblaient jaillir comme une fontaine odorante des vases de Chine. Quelques bûches étaient disposées dans la cheminée de marbre, prêtes à flamber.

Hannah s'arrêta à côté de Bennett devant une toile un peu plus grande que la première. Elle représentait une salle de bal aux couleurs vives. Des femmes, somptueusement parées, tourbillonnaient dans les bras de gentlemen en smoking. Les miroirs disposés partout dans la pièce reflétaient les danseurs, multipliant à l'infini l'éclat des lustres de cristal.

— C'est tout à fait ravissant. Cette pièce existe vraiment ?

— Oui. Rien n'a été changé. C'est là qu'aura lieu le bal de Noël, le mois prochain.

Un mois seulement ! se dit-elle. Il y avait encore tellement à faire ! Dans quelques heures à peine, Deboque serait libre, et elle saurait si son travail avait été utile.

Elle s'approcha du piano et en caressa légèrement le clavier du bout des doigts.

— Vous en jouez, Votre Altesse ? demanda-t-elle d'un ton qu'elle s'efforça de rendre léger.

— Hannah, nous sommes seuls. Inutile d'être aussi formelle.

— J'ai toujours considéré l'usage des titres comme simplement correct, plutôt que formel.

— Et moi, j'ai toujours trouvé cela gênant entre amis.

Il s'approcha d'elle et posa doucement sa main sur son épaule avant de conclure :

— Je croyais que nous l'étions.

Elle sentait sa main au travers de la soie légère de sa robe comme une brûlure. Faisant taire le tumulte intérieur qui l'agitait, elle se retourna pour lui faire face :

— Que nous étions quoi, Votre Altesse ?

— Amis ! Je vous trouve de bonne compagnie, Hannah. C'est la condition essentielle pour l'amitié, n'est-ce pas ?

Elle le regardait d'un air impassible. Pas un cheveu ne s'échappait de son chignon, sa robe était sévère, presque triste. Et soudain, il eut la vision folle de ses longs cheveux dénoués, dans le vent, de son rire grave résonnant rien que pour lui.

— Qui êtes-vous, Hannah ?

— Je vous demande pardon ?

— Ne bougez pas ! s'exclama-t-il soudain.

Il s'approcha tout près d'elle. Et, comme il la voyait se raidir, il leva les mains pour la rassurer.

— Restez tranquille un moment, voulez-vous ?

Et il s'inclina lentement vers elle et posa sa bouche sur la sienne.

Ne pas réagir, se dit Hannah. Surtout, ne pas réagir...

Il ne se montrait ni pressant ni insistant. Il avait simplement l'air de goûter, presque de respirer, avec une délicatesse qu'elle n'aurait jamais soupçonnée chez un homme. Et c'était... grisant comme un excellent champagne...

C'était trop, c'était fou... Elle devait résister, se ressaisir...

Dieu, comme elle le désirait ! Comme elle le voulait !

Il ne savait pas exactement ce qu'il cherchait. Il trouva de la douceur, de la tendresse, pas de passion. Pourtant, un feu étrange brillait dans son regard. Il ne tenta pas de pousser son avantage, d'approfondir son baiser. Pas cette fois. Peut-être savait-il déjà qu'il y en aurait d'autres...

Il rompit son étreinte en se reculant simplement. Hannah ne bougea pas.

62

— Je n'ai pas voulu vous effrayer, expliqua-t-il. J'ai simplement voulu faire une expérience.

— Vous ne m'avez pas effrayée, répondit-elle calmement.

Il la regarda quelques secondes et ne put se contenir :

— Bon sang ! Hannah, est-ce qu'il se passe quelque chose, au fond de vous ?

— Beaucoup de choses, Monsieur, naturellement.

Il eut un rire bref.

— Appelez-moi par mon nom, je vous en prie.

— Comme vous voudrez.

Il recula pour mieux la regarder. Elle se tenait très droite, devant le piano blanc, les mains croisées, le regard calme et tranquille. Exaspérante de froideur. Inexplicablement attirante...

A cet instant, la voix de Reeve brisa le silence.

— Excusez-moi de vous interrompre, Bennett, mais votre père voudrait vous voir avant le dîner. Je raccompagnerai lady Hannah.

— Bien, je vous remercie.

Il s'arrêta devant la jeune femme.

— Il faudra que je vous parle, plus tard.

— Comme vous voudrez.

Mais en son for intérieur, elle se promit de tout faire pour l'éviter !

La voyant immobile, Reeve lui demanda :

— Quelque chose ne va pas, lady Hannah ?

Elle prit une profonde inspiration avant de répondre :

— Mais si, tout va très bien, pourquoi ?

— Bennett peut se montrer un peu... entreprenant !

Cette fois, quand elle rencontra son regard, elle savait qu'elle avait recouvré son apparente sérénité.

— Je ne me laisse pas facilement distraire. Surtout quand je travaille.

— C'est ce que j'ai entendu dire.

Reeve était toujours à la recherche de failles éventuelles, et il avait eu très peur d'en avoir trouvé une quand il avait vu la manière dont elle regardait Bennett.

— Mais c'est la première fois que vous êtes chargée de ce genre de mission, ajouta-t-il.

— En tant qu'agent de l'ISS, je suis capable d'assumer n'importe quelle mission.

Sa voix était redevenue froide et précise. Nul n'aurait pu soupçonner qu'elle venait d'être bouleversée d'une manière presque intolérable par la douceur d'un baiser.

— Vous aurez mon rapport dès demain, conclut-elle. Il me semble maintenant qu'il est grand temps de rejoindre les autres.

Elle se dirigea vers la porte, mais il la retint par le bras.

— Vous savez qu'on a beaucoup misé sur vous.

— Je le sais. Vous avez demandé la meilleure ; et je suis là.

— Sans doute. Votre réputation est excellente, Hannah. Mais vous n'avez jamais été confrontée à un individu de l'envergure de Deboque, jusqu'à présent.

— Et lui, jamais à quelqu'un comme moi. Maintenant, je fais partie de son organisation. Il m'a fallu deux ans pour en arriver là. Je lui ai économisé deux millions et demi en évitant que son commerce d'armes ne soit saboté, il y a six mois. Un homme comme Deboque sait apprécier les initiatives. D'autre part, je me suis employée à miner la réputation de son bras droit. Je parviendrai à mes fins dans quelques jours.

— Ou vous y resterez.

— C'est mon problème. Dans quelques semaines, c'est moi qui serais son bras droit. Alors, je vous le servirai sur un plateau.

— C'est très bien d'être aussi sûre de soi, à condition de ne pas se tromper.

— Je me trompe rarement.

La pensée de Bennett lui traversa l'esprit comme un coup de poignard, mais elle s'empressa de la chasser.

— Je n'ai jamais échoué dans une mission, Reeve. Ce n'est pas aujourd'hui que je vais commencer.

4

Toutes les tentatives d'Hannah pour éviter d'accompagner Bennett à Coriada échouèrent. Après s'être plainte de violents maux de tête, la veille, elle avait attendu qu'Alexander ait fini de prendre son petit déjeuner en famille pour parler à Eve en tête à tête. Il fallut à Eve moins de dix minutes pour la convaincre qu'elle devait y aller.

— Vous vous êtes surmenée à cause de moi, déclara Eve. Cette excursion vous fera le plus grand bien !

Elle jeta un coup d'œil à la nurse qui s'apprêtait à emmener Marissa en promenade.

— Cela m'ennuie de ne pas pouvoir la promener moi-même, mais j'ai une réunion au Centre dans moins d'une heure.

— Vous êtes une mère merveilleuse, Eve, la rassura Hannah.

La jeune femme soupira d'un air soucieux.

— Je sais que cela peut paraître ridicule, mais quand je ne l'ai pas sous les yeux, j'imagine toujours un malheur.

— C'est normal.

— Sans doute. Il est vrai que dans notre situation, tout prend des proportions exceptionnelles.

Eve secoua pensivement la tête et conclut :

— Tout se paie, j'imagine.

Remarquant l'air compatissant d'Hannah, la jeune femme se pencha vers elle et lui prit affectueusement les mains.

— Oh, Hannah, je ne sais ce que j'aurais fait sans vous, durant ces deux dernières années. Et je vous récompense bien mal en vous gardant égoïstement pour moi toute seule après vous avoir fait venir jusqu'ici.

— Mais c'est la raison pour laquelle je suis ici, protesta Hannah, irritée de sentir de nouveau la culpabilité l'envahir.

— Non. La vraie raison, c'est notre amitié. Faites-moi plaisir, Hannah, prenez un jour de liberté. Je vous garantis que votre migraine...

— Quelqu'un a mal à la tête ? demanda Bennett en entrant dans la pièce.

Il portait son uniforme blanc de la marine, galonné de rouge. Sur la poche de poitrine gauche brillait l'écusson doré de la famille royale. Il était tout simplement superbe !

Il lui sourit, et elle lui fit la révérence.

— Bennett, j'avais oublié combien vous étiez séduisant en uniforme d'officier ! s'exclama Eve en se levant pour l'embrasser. Finalement, peut-être vais-je donner une aspirine à Hannah et la garder près de moi ?

— Je suis sûr que lady Hannah est parfaitement capable de prendre soin d'elle-même. N'est-ce pas, ma chère ?

Hannah décida que si affrontement il devait y avoir, mieux valait ne pas le différer.

— C'est ce que j'ai toujours fait. Eve m'assure qu'une promenade au bord de la mer est un remède infaillible.

— Parfait. Eve, je vous promets de vous la ramener avec des joues roses.

— Si vous m'accordez une petite minute, je vais chercher mon sac.

Eve arrêta Bennett au moment où il s'apprêtait à la suivre.

— Bennett... Je me trompe, ou bien il se passe quelque chose ?

Il feignit de ne pas comprendre.

— Je ne vois pas...

— Hannah a toujours eu une vie très protégée. Je suppose qu'il est inutile de vous dire de... faire attention ?

Le regard du prince devint glacial.

— Je crois qu'un homme de mon rang sait se comporter à l'égard des femmes.

— Je n'ai pas voulu vous blesser, objecta Eve. Nous étions amis bien avant de devenir parents, Ben. Je vous dis cela simplement parce que j'ai beaucoup d'affection pour elle, et que je sais à quel point vous pouvez vous montrer irrésistible.

Bennett eut un sourire taquin.

— Vous avez toujours su me résister.

— Vous m'avez toujours traitée comme une sœur, rétorqua-t-elle en lui rendant son sourire. Trouveriez-vous que je dépasse les bornes si je vous disais qu'elle n'est pas votre genre ?

— C'est vrai. C'est peut-être ce qui m'attire en elle. Mais cessez de vous tracasser, ajouta-t-il en l'embrassant sur le front. Je ne ferai pas de mal à votre amie anglaise. Et dites à Marissa que je lui rapporterai des coquillages !

Hannah l'attendait en bas de l'escalier, l'air calme et décidé. Bennett la prit tranquillement par le bras, et ils se dirigèrent vers la voiture.

— Je vous promets que le trajet compensera largement l'ennui des cérémonies officielles.

— Je ne déteste pas les cérémonies.

— Alors, vous allez être gâtée ! Bonjour, Claude.

Il fit un petit geste de la tête à l'intention d'un homme qui les attendait sur le perron.

— Bonjour, Votre Altesse. Bonjour, lady Hannah. Votre voiture est prête, Monsieur.

— Un cabriolet de sport d'un rouge rutilant était garé entre deux puissantes Mercedes.

— Vous conduisez ces bolides ?

— Oui, répondit Bennett. Et c'est un enchantement. Celle-ci ronronne comme un tigre et m'obéit au doigt et à l'œil. Je l'ai poussée jusqu'à deux cents à l'heure, l'autre jour.

Elle pensa au plaisir qu'elle éprouverait à partager cette expérience avec lui, mais se força à arborer un air effrayé.

— J'espère que vous n'avez pas l'intention de battre votre record aujourd'hui !

Il ouvrit la portière avec un grand rire.

— Pour vous, je conduirai comme un grand-père.

Hannah se glissa à la place du passager et laissa échapper un petit soupir de plaisir.

— Il n'y a pas beaucoup de place !

— Bien assez pour deux, répliqua Bennett en s'installant à côté d'elle.

— J'imagine que vous ne voyagez pas sans quelqu'un de la sécurité ?

— J'évite chaque fois que c'est possible. Mon secrétaire nous suivra dans une Mercedes. D'accord pour essayer de le semer ?

Il mit le contact et, avant qu'Hannah ait eu le temps de reprendre son souffle, la voiture sembla littéralement décoller. Il conduisait comme il menait son cheval. A corps perdu...

— Ils doivent déjà commencer à s'affoler, dit soudain Bennett en jetant un coup d'œil dans le rétroviseur. Si je le laissais faire, Claude m'interdirait tout déplacement à plus de trente kilomètres. Et je serais en permanence engoncé dans un costume pare-balles !

— Il fait son travail, j'imagine.

— Oui, mais dommage qu'il n'y mette pas un peu plus d'humour !

Bennett emprunta le premier virage sans ralentir.

— Votre grand-père a-t-il eu une vie longue et heureuse ?

— Mon grand-père ? demanda Bennett, surpris.

— Oui. Je vous demandais s'il avait vécu longtemps. S'il conduisait comme vous, j'en doute.

Le vent lui plaqua les cheveux sur les yeux quand il se tourna vers elle pour lui répondre :

— Faites-moi confiance, Hannah. Je connais la route.

Elle n'avait pas la moindre envie qu'il ralentisse. Pour la première fois depuis des mois, elle éprouvait une merveilleuse sensation de liberté... Le bleu de la mer miroitait au pied de la corniche, les palmiers se découpaient sur le ciel limpide. L'air embaumait la mer, le parfum des fleurs dans un printemps éternel.

— Vous pratiquez le ski nautique ? demanda soudain Bennett, en suivant son regard posé sur une silhouette qui évoluait gracieusement sur les vagues.

— Je n'ai jamais essayé. J'aime surtout les livres...

— On ne peut pas passer son temps enfermé !

Elle regarda le skieur sauter une vague avant de répondre :

— Moi, si, je pourrais.

Bennett sourit et attaqua un virage en épingle à cheveux.

— La vie ne vaut pas la peine d'être vécue sans quelques émotions. Vous n'éprouvez jamais l'envie de vivre une aventure, lady Hannah ?

Elle pensa aux dix dernières années de sa vie, aux différentes missions qui l'avaient conduite partout dans le monde. Elle songea aussi au pistolet de petit calibre dissimulé au fond de son sac, et au mince poignard serré contre sa cuisse.

— J'ai toujours préféré vivre mes aventures par la pensée, répondit-elle simplement.

Coriada était une ville charmante. Nichée au pied d'une colline, elle mêlait harmonieusement les hauts immeubles de pierre blanche et les petites villas fleuries au milieu des jardins. De nombreux bateaux de plaisance et de pêche se balançaient paisiblement le long des quais. Paniers et filets séchaient au soleil dans l'air vif du matin.

Au premier coup d'œil, l'endroit ressemblait à n'importe quelle petite ville portuaire vivant de la pêche et du commerce des bateaux. Mais, comme beaucoup d'autres lieux à Cordina, Coriada était plus que ce dont il avait l'air. Outre la pêche et le trafic portuaire, c'était aussi et surtout la base de la flotte militaire du royaume.

Se faufilant avec adresse dans le dédale des rues, la voiture franchit plusieurs grilles. Bennett ralentissait seulement assez pour être reconnu des sentinelles, puis il reprenait sa course.

Quelques minutes plus tard, ils s'arrêtèrent devant un bâtiment gris. Des hommes en uniforme blanc les attendaient.

— Durant les heures qui suivent, nous sommes en mission officielle, chuchota Bennett à l'intention de la jeune femme.

Un officier se précipitait déjà pour leur ouvrir la portière. Bennett lui rendit son salut. Il savait que la Mercedes venait d'arriver à son tour, mais il ne lui jeta pas même un regard, et guida Hannah vers le petit groupe qui les attendait.

— Nous avons d'abord quelques formalités à accomplir, la prévint-il.

Les formalités en question, c'était un groupe d'officiers avec leurs femmes en grande toilette, qui attendaient d'être présentés à Son Altesse Royale.

Hannah resta imperturbable, et fit semblant d'ignorer les spéculations évidentes sur son compte. Pas le genre du prince, devaient penser ces dames. Et certainement aussi les messieurs. Et elle était tout à fait d'accord...

On leur offrit le thé, on leur fit visiter le bâtiment, à la grande satisfaction d'Hannah. Elle feignit à la fois l'ignorance et un profond intérêt pour les explications polies qu'on lui fournissait, s'amusant à imaginer la tête que feraient ces braves gens s'ils savaient qu'elle connaissait le fonctionnement des radars et de la radio au moins aussi bien que les plus entraînés des opérateurs radio !

Quand ils descendirent sur le quai pour assister à l'arrivée de l'*Indépendance,* une fanfare militaire les accueillit triomphalement, et la foule commença à s'amasser derrière les barrières du camp. Hannah repéra dans les spectateurs une douzaine d'hommes des services de sécurité, sans compter les deux gardes du corps qui ne quittaient jamais le prince...

Maintenant, Deboque était sorti, se répétait-elle. Tout est possible...

Le destroyer manœuvra pour accoster, et la foule applaudit tandis que la fanfare entamait un air joyeux. Après six mois en mer, L'*Indépendance* était de retour...

La passerelle tomba lourdement sur le quai. Le capitaine descendit le premier pour saluer le prince et les officiers.

— Bienvenue, capitaine, dit Bennett en lui serrant la main.

Il allait faire un discours. Hannah prit de nouveau un air attentif tandis qu'elle détaillait lentement la foule.

Elle ne fut pas surprise de le trouver. Avec son petit drapeau dans la main, son air terne et effacé, il ne risquait pas d'être repéré. C'était le meilleur homme de Deboque.

Elle savait que rien ne serait tenté contre Bennett aujourd'hui. Son intrusion réussie dans le palais était l'un des plus grands services qu'elle avait pu rendre à Deboque. A court terme, il avait certainement dans l'idée d'obtenir le maximum de renseignements plutôt que de tenter un assassinat qui donnerait l'alerte générale contre lui.

Hannah savait, du reste, que ce n'était pas Bennett qui intéressait en premier chef Deboque, mais Alexander, l'héritier direct du trône.

Lui avait-on envoyé un messager ? Ou bien l'homme était-il simplement là en observateur ? Son instinct lui disait que c'était plutôt pour la seconde raison. Les yeux de l'homme rencontrèrent les siens, et ils se fixèrent un moment du regard. Il n'y eut pas d'autre signe, mais ils s'étaient reconnus. Hannah fixa son attention ailleurs, sachant qu'ils devaient se rencontrer quelques jours plus tard, au musée.

La cérémonie se poursuivit avec la visite du navire et une inspection de l'équipage. Bennett marchait d'un pas rapide, lançant un compliment ici, posant une question un peu plus loin, serrant les mains qui se tendaient vers lui. Au moment où il s'apprêtait à descendre la passerelle, des applaudissements retentirent encore... Le protocole exigeait qu'il soit escorté de nouveau jusqu'au quartier général des officiers. C'est seulement à ce moment-là qu'Hannah sentit monter en lui un peu d'impatience. Pourtant, il resta aimable, serrant encore des mains, embrassant des enfants. Enfin, il se laissa tomber sur le siège de sa voiture avec un soupir de soulagement.

— Eh bien, Votre Altesse ?

Bennett se contenta de tapoter la main d'Hannah avant de mettre le moteur en route.

— Merci de vous être montrée patiente, dit-il.

Hannah respirait avec délices l'air vivifiant qui venait de la mer.

— Personnellement, j'ai trouvé la visite passionnante, et j'ai appris beaucoup de choses.

Il parut surpris qu'elle ait pu prendre de l'intérêt à ces formalités officielles.

— Si j'avais su que cela vous plaisait, j'aurais un peu moins pressé les choses !

— Je suppose qu'au bout d'un moment, vous devez trouver ces obligations bien fastidieuses.

— Je pensais surtout aux hommes. Ils n'aspiraient qu'à une chose : descendre à terre pour rejoindre leur famille — ou leur fiancée... En mer, on est très seul...

Hannah s'efforça de paraître poliment intéressée.

— Probablement. Pourtant, j'ai l'impression que vous avez aimé cette vie-là, Bennett. Cela se voit à la manière dont vous parlez aux hommes et dont vous regardez le bateau.

— C'est vrai. Je n'oublierai jamais cette expérience...

— Quel est votre meilleur souvenir ?

— Le spectacle du soleil levant sur la mer. Ou mieux encore, la traversée d'une tempête. Nous en avons essuyé une en Crête... Il n'y avait plus de ciel, plus que de l'eau. Une expérience comme celle-là change un homme...

— Pourquoi ?

— C'est une magistrale leçon d'humilité. La nature est notre seul véritable maître, Hannah. Regardez la mer, calme ou déchaînée : elle est toujours belle, et tellement plus forte que nous !

— On dirait que vous aimez le danger.

Elle n'ajouta pas qu'elle le comprenait trop bien...

— Parfois, oui. Le danger peut être fascinant...

Sans signaler son intention à la voiture qui les suivait, Bennett freina soudain et donna un brusque coup de volant pour ranger la voiture sur le bas-côté.

— Mais il y a des moments où je préfère le calme...

Il descendit et saisit Hannah par le bras, sans prêter attention au garde qui les suivait des yeux d'un air inquiet.

— Marchons un peu sur la plage. J'ai promis à Marissa de lui rapporter des coquillages.

— Votre secrétaire n'a pas l'air très content.

Elle ne le fut pas davantage quand elle se rendit compte à quel point ils étaient exposés.

— Il préférerait me voir enfermé dans une cage de verre. Allons, venez. Ne m'avez-vous pas dit que l'air marin était bon pour la santé ?

— Oui, acquiesça-t-elle en laissant sa main dans la sienne. Il faudra trouver des coquillages assez grands pour que Marissa ne puisse pas les avaler.

— Toujours votre esprit pratique !

Il laissa échapper un petit rire et l'enlaça par la taille pour l'entraîner vers les vagues. Il vit qu'elle surveillait par-dessus son épaule le garde qui les suivait à une courte distance.

— Vous devriez ôter vos chaussures, Hannah. Vous allez avoir du sable à l'intérieur. Heureusement que Marissa est encore à l'âge où l'on a des goûts simples. Deux ou trois coquilles Saint-Jacques, et elle sera enchantée !

Hannah se rendit soudain compte qu'il était bon, et généreux.

— Vous avez l'air d'être le préféré de vos neveux et nièces.

— Oh, je suppose que c'est parce que je n'ai pas peur de jouer de temps à autre avec eux. Que pensez-vous de celui-ci ?

Il ramassa un long cône en spirale nacré, lisse et doux comme de la soie.

— Tout à fait ce qu'il me faut ! s'exclama Hannah.

— Marissa n'aime pas particulièrement ce qui est convenable. Comme tous les enfants, elle préfère ce qui est joli.

— Il est joli. Oh ! Regardez celui-ci !

Oubliant sa réserve, elle se précipita dans les vagues pour saisir une grande coquille Saint-Jacques encore intacte. Elle avait la forme parfaite d'un éventail, d'un blanc pâle comme de la chair à l'intérieur, et d'un corail presque rouge à l'extérieur.

— Vous pourrez lui raconter que les fées y trempent leurs biscuits quand elles prennent le thé.

— Ainsi, Hannah croit encore aux fées..., murmura Bennett.

Hannah rougit légèrement et lui tendit le coquillage.

— Non, mais Marissa y croit encore, j'imagine.

Bennett glissa le coquillage dans sa poche.

— Vos pieds sont mouillés.

— Ils sécheront.

Elle allait remonter vers le haut de la plage, mais il la retint.

— Puisque nous y sommes, restons encore un peu.

Et, sans attendre sa réponse, il se mit à marcher dans les vaguelettes qui venaient mourir sur le sable.

L'eau était tiède et agréable. Et si limpide qu'elle distinguait des fragments de coquillages que la force des vagues avait cassés. Le temps était calme et le bruit des vagues n'était plus qu'un chuchotement.

Pas de romantisme ! se dit-elle. Elle ne pouvait pas se le permettre. Cette fois, plus que jamais, elle marchait sur le fil du rasoir. Et la moindre erreur pouvait se transformer en tragédie. Elle décida de se concentrer sur les gardes qui les suivaient.

— Votre chignon se défait.

Il rattrapa une épingle qui glissait dans ses cheveux, et rajusta la mèche d'un geste familier.

— Je dois donner l'impression d'avoir essuyé un ouragan ! dit Hannah.

Mais par l'effet d'un brusque coup de vent, totalement inattendu, ses cheveux se répandirent sur ses épaules avant même qu'elle ait eu le temps de réagir.

— Mon Dieu !

Bennett avait plongé les mains dans les cheveux qui lui descendaient jusqu'à la taille comme une fontaine d'or blond. Il la regardait fixement, stupéfait par la métamorphose qui s'était opérée sous ses yeux. Son visage, auréolé de blondeur, paraissait plus doux, plus féminin. Ses pommettes paraissaient plus hautes, ses yeux plus grands, lui donnant presque une expression féline et sauvage.

— Quelle splendeur ! On dirait la chevelure d'un ange.

Sous le regard brûlant du prince, Hannah sentit son pouls s'accélérer. Elle lisait dans ses yeux autre chose qu'une simple admiration. C'était du désir, du désir à l'état pur, celui de l'homme pour la femme, aussi puissant et dangereux qu'un ouragan au grand large. Elle ne pouvait s'écarter de lui car il tenait ses cheveux à pleines mains. Et elle ne pouvait nier non plus la force de son propre désir.

Il ne fallait pas. Et pourtant, elle savait qu'elle brûlait de l'envie qu'il la prenne dans ses bras. Pour la première fois depuis très longtemps, elle voulait de tout son être être aimée. Désirée, caressée et aimée. Tout cela était contre les règles, mais il était parfois très dur d'y renoncer.

— Des cheveux d'ange, répétait doucement Bennett. Comment peut-on emprisonner une telle beauté ?

Non, elle ne pouvait nier ce qui se passait au fond d'elle-même. Mais elle pouvait le refuser.

— C'est... plus pratique ainsi, dit-elle d'une voix ferme, en essayant de se dégager.

Mais il la retenait avec douceur et énergie.

— Dans ce cas, Hannah, vous qui êtes toujours si raisonnable, pourquoi ne les avez-vous pas coupés ?

Combien de fois avait-elle décidé de le faire, pour y renoncer à la dernière minute ? Elle respira un grand coup et décida de dire tout simplement la vérité...

— Par vanité, j'imagine.

— Mais vous êtes tellement plus belle !

Il ne se lassait pas de faire glisser les longs cheveux entre ses doigts...

— Seulement différente, répondit-elle doucement.

— Quel homme resterait insensible à une telle différence ?

Remarquant un léger mouvement de recul de sa part, il la relâcha avec réticence en ajoutant :

— Mais vous faites peu de cas des hommages masculins, n'est-ce pas ?

— Je n'ai jamais trouvé cela très important, en effet.

En quelques gestes précis, elle avait retrouvé son aspect ordinaire.

— Rentrons, conclut-elle d'une voix brève. Votre belle-sœur peut avoir besoin de moi.

Bennett fit un bref signe d'approbation, et ils se dirigèrent vers la digue.

— Vous pouvez continuer à cacher vos cheveux, Hannah, mais je n'oublierai pas ce que je viens de voir. Et c'est comme cela que vous m'apparaîtrez toujours...

Il y aurait d'autres instants, d'autres lieux, se disait-il en marchant. Il venait de découvrir en lui-même une vertu qu'aucune femme n'avait su éveiller jusqu'à présent : la patience...

5.

Il n'arrivait pas souvent à Hannah de regretter de ne pas être belle. Son métier lui avait appris qu'il valait mieux passer inaperçue. Parfois, elle ressentait un pincement au cœur en pensant à des robes aux coloris chatoyants, aux décolletés audacieux. Mais pour l'heure, il n'était pas question de se mettre en valeur, encore moins de chercher à se faire apprécier.

Hannah savait que les invités feraient des frais de toilette pour la soirée organisée par Eve. Un dîner au palais royal exigeait une suprême élégance, voire même une touche d'extravagance. Toutes les femmes feraient de leur mieux pour paraître à leur avantage. Toutes les femmes, sauf elle...

Elle avait déjà vu la robe d'Eve, un long fourreau de satin noir rebrodé de perles et de strass, très décolleté dans le dos. Gabriella porterait une délicate mousseline pastel mettant en valeur son teint de rousse. Et puis, il y avait Chantal O'Hurley, qui allait sans doute soigner son apparition. Son rôle n'était-il pas d'étonner et de séduire ?

Cela n'aurait pas dû avoir tant d'importance. Cela en avait beaucoup trop.

Se faisant violence, Hannah choisit dans sa garde-robe une longue robe de soie bleu pâle aux formes amples. Avec un soupir, elle s'efforça de soumettre ses cheveux au chignon le plus strict.

Quand elle se regarda dans la glace, le visage dépourvu de maquillage, les cheveux sévèrement tirés sur la nuque, toute trace de sensualité et de charme avait disparu. Elle était impeccable et parfaitement insipide.

Il n'y avait pas de place pour les regrets, se dit-elle en glissant son revolver dans son sac. Le devoir passait avant les désirs personnels, et encore plus avant la vanité...

Il l'attendait. Les premiers invités étaient déjà dans le hall d'honneur où étaient servis les apéritifs. Quoique nerveux et impatient, Bennett jouait son rôle à la perfection, répondant aux questions aimables, embrassant les mains qui se tendaient, riant aux plaisanteries. Dans d'autres circonstances, cette soirée l'aurait amusé, mais...

Où pouvait-elle donc bien être ? Il s'irrita soudain contre la raideur du smoking qu'il avait pourtant l'habitude de porter. Autour de lui, les femmes passaient comme des oiseaux exotiques aux parures chatoyantes, et leurs parfums se mêlaient en une senteur confuse et enivrante, sans le séduire ni même l'intéresser. Il voulait un moment de solitude avec Hannah...

Tout en conversant avec un homme qu'il ne connaissait pas et qui, sans avoir grand-chose à lui dire, semblait très désireux de lui parler, il gardait un œil fixé sur la porte.

— C'est moi que vous cherchez, murmura une voix suave à son oreille.

— Chantal !

Bennett embrassa la jeune femme sur les deux joues avant de poser sur elle un regard admiratif.

— Superbe, comme toujours.

Elle accepta une coupe de champagne en souriant.

— Votre demeure est aussi magique qu'on le dit. Un véritable palais de contes de fées. Et quelle idée digne de votre humour d'avoir choisi cette pièce pour recevoir des acteurs, eux qui sont tellement narcissiques ! s'exclamat-elle en désignant le salon tapissé de miroirs.

— Nous le sommes tous un peu, répliqua-t-il finement tout en jetant un coup d'œil impatient par-dessus son épaule. Je vous ai vue dans votre dernier film. Vous étiez merveilleuse.

Une femme habituée à recevoir tous les hommages sent immédiatement quand elle n'est plus le centre d'intérêt de la conversation. Pourtant, Chantal continuait à sourire.

— J'attends toujours votre visite à Hollywood.

— Vous m'avez paru tellement occupée, ces derniers temps ! Comment faites-vous pour partager votre temps entre les magnats du pétrole, les vedettes du tennis et les producteurs ?

— Comme vous, je suppose, avec vos marquises, vos comtesses et... je crois, cette barmaid de Chelsea ?

Bennett lui tapota l'épaule en riant.

— Ma chère, si nous devions l'un et l'autre prêter foi à tous les ragots qui nous concernent, nous y consacrerions tout notre temps !

Bennett était l'un des rares hommes pour lesquels Chantal éprouvait une sincère amitié. Elle lui posa affectueusement la main sur le bras.

— Bien que nous n'ayons jamais été amants, n'en déplaise aux journaux à scandale, j'ai bien envie de poser une question indiscrète : êtes-vous amoureux, Bennett ?

— Eh bien, c'est un peu... confus.

Au même moment, il vit apparaître dans un miroir la silhouette d'Hannah...

— Voulez-vous m'excuser un moment, je vous prie ?

Elle suivit son regard.

— Oui, naturellement. Bonne chance, Bennett.

Hannah avait à peine eu le temps de se réfugier dans un coin qu'il était auprès d'elle.

— Bonsoir, lady Hannah.

— Votre Altesse...

Elle accompagna son salut d'une profonde révérence, comme le voulait l'étiquette. Il la releva d'un geste brusque et la sentit se raidir.

— Quand une femme arrive en retard, il est d'usage qu'elle fasse une entrée remarquée plutôt que discrète...

Si seulement elle pouvait empêcher son cœur de s'affoler ! Tout en essayant de retrouver son calme, elle nota que, déjà, des regards se tournaient vers eux.

— Je préfère observer qu'être observée, Monsieur.

— Et moi, c'est vous que je préfère observer, répliqua-t-il en faisant signe à un domestique qui passait avec un plateau. Et j'ai remarqué que vous faisiez tout pour passer inaperçue...

Elle saisit le verre qu'il lui tendait et but une gorgée de champagne avant de répondre :

— J'ai été élevée dans l'idée qu'une jeune fille bien éduquée ne se faisait jamais remarquer.

Sans répondre, Bennett regarda leur reflet dans le miroir, renvoyé à l'infini dans les profondeurs de la vaste pièce. Ils étaient là, l'un à côté de l'autre, seuls malgré la foule, liés par une étrange intimité.

— Vous voyez cette collection de miroirs, expliqua-t-il en faisant un petit geste de la main. C'est un de mes ancêtres, qui s'appelait aussi Bennett, qui l'a rassemblée. Il achetait peut-être tous ces miroirs dans l'espoir que l'un d'eux saurait mieux le flatter que les autres...

Hannah ne put s'empêcher d'éclater de rire. Un bref instant, elle eut l'impression de faire vraiment partie de cet univers luxueux et scintillant...

— J'aime beaucoup votre rire, murmura-t-il. Il me rappelle la vision que j'ai eue de vous, au bord de la mer, les cheveux dénoués dans le vent.

Attention, danger ! se dit-elle. Elle n'avait pas le droit d'oublier que le prince avait une réputation de play-boy et qu'elle était ici en mission !

— Ne vous devez-vous pas à vos invités ? remarqua-t-elle d'une voix froide.

— C'est déjà fait, dit-il en caressant doucement son avant-bras. Votre parfum est délicieux, ajouta-t-il en se rapprochant encore plus près.

— Bennett, je vous en prie !

— Venez vous promener dans le jardin avec moi, un peu plus tard.

— Ce ne serait pas très raisonnable.

— Que craignez-vous ? Que j'essaie de vous séduire ?

Il y avait dans sa voix autant d'arrogance que d'ironie, mais aussi... du désir.

— Je ne crains rien. Simplement, je ne me sentirais pas à ma place.

— Quel dommage, murmura-t-il en serrant de nouveau son bras. J'aurais aimé vous faire l'amour au cœur de la nuit, dans un endroit sombre et paisible. Très lentement, très doucement.

Elle sentit le désir jaillir au fond d'elle comme un torrent, et il lui fallut toute son énergie pour rester impassible. Cela aurait pu être possible si...

Il ne devait pas y avoir de « si » dans sa vie. Les « si » ouvraient la porte au hasard, et, dans son métier, le hasard pouvait être mortel. Hannah s'écarta légèrement et le regarda, prête à riposter, même cruellement.

Quand elle parla, sa voix était de nouveau froide et calme :

— Je serais très flattée. Mais si Votre Altesse veut bien me pardonner, j'ai entendu dire que ses goûts n'étaient pas toujours très... sélectifs.

Elle sentit ses doigts se crisper sur son bras avant qu'il ne relâche son étreinte d'un geste brusque.

— J'aimerais que vous m'expliquiez cela, Hannah.

— C'est pourtant très clair. Laissez-moi passer, je vous prie. Nous commençons à nous faire remarquer.

— Je m'en moque, répliqua-t-il avec dureté.

— Très bien. Je vais vous expliquer. Je suis une femme, donc susceptible d'attirer la convoitise des hommes. Pour être franche, cette convoitise n'est pas réciproque.

— Ce n'est pas vrai.

— C'est vous qui le dites, répliqua-t-elle d'un ton plus tranchant. Bien que ce soit difficile à comprendre pour un homme comme vous, je suis une femme simple, avec des valeurs simples. Et, comme vous l'avez dit vous-même, votre réputation vous a précédé.

Elle s'arrêta un moment, le vit pâlir. Surtout, ne pas flancher !

— Je ne suis pas venue à Cordina pour vous amuser, murmura-t-elle en faisant un pas en arrière.

— Vous ne m'amusez pas, Hannah.

— Dans ce cas, je m'en excuse.

Et bien qu'elle sût que ce geste serait interprété comme une insolence elle s'inclina dans une profonde révérence.

— Si vous voulez bien m'excuser, Monsieur. Je dois rejoindre Eve.

Elle le sentit hésiter entre l'éclat et l'indifférence et sut qu'elle avait gagné lorsqu'il déclara :

— Je ne vous retiens pas. Passez une bonne soirée.

Très digne, elle s'éloigna. Elle avait le cœur brisé...

Elle sentit ses doigts se crisper sur une bras épais où il
ne pouvait son étreinte à un geste presque

Il menait son cheval de plus en plus vite, mais ne trouvait pas l'apaisement recherché. Avec un juron, il plongea dans le sentier qui longeait la falaise. Mais il n'éprouvait ni joie, ni soulagement. Il n'y avait de place en lui que pour la colère.

Il la voulait, il la haïssait, et pourtant, il la désirait comme il n'avait encore jamais désiré aucune autre femme.

Il avait beau se dire que c'était une prude sans cœur ni tempérament, il ne parvenait pas à oublier leur promenade sur la plage, ni son image, les cheveux dénoués dans le vent, un coquillage à la main.

Avec un cri, il éperonna Devil pour le lancer au grand galop sous le ciel lourd, menaçant...

Il voulait la tempête. Il voulait le vent, la pluie et le tonnerre.

Il voulait Hannah.

Parce qu'elle était différente, justement... Mais comment la convaincre ? Avec n'importe quelle autre, c'eût été un jeu d'enfant. Mais pas avec elle...

Pour une fois que c'était vrai, pour une fois que c'était important, une femme, une seule femme ne voudrait jamais le croire...

Tirant brusquement sur les rênes, Bennett fit face un instant à l'abîme, en réfléchissant. Les femmes étaient attirées par lui, enfin, surtout par son titre et par sa position. Il était assez lucide pour en être conscient. Mais ce qui les attirait aussi en lui, c'est qu'il aimait les femmes. Il ne comptait pas autant de conquêtes que la rumeur voulait bien lui prêter, mais il en avait connu suffisamment pour savoir qu'une histoire d'amour se vivait à deux.

Hannah était jeune, inexpérimentée, et, en ce qui la concernait, le terme de « lady » n'était pas qu'un titre. C'était aussi une règle de conduite. Rares avaient dû être les hommes autorisés à l'approcher...

Avec un éclat de rire, Bennett se passa une main nerveuse dans les cheveux. Et lui, qu'avait-il fait ? Il avait tenté de la séduire dans une soirée, de la manière la plus grossière et la plus banale. Comment avait-il pu croire un seul instant qu'une femme comme Hannah se sentirait flattée ?

Devil se cabra, mais Bennett le retint fermement et continua à scruter l'horizon. La tempête s'approchait du rivage.

Il ne lui avait jamais dit qu'avec elle, il était sur le point de rencontrer l'amour, lui qui n'y croyait plus.

Et maintenant, après l'avoir insultée et blessée, il ne pourrait plus le lui dire. Mais il pouvait faire autre chose. Il sourit en sentant les premières gouttes de pluie sur son front...

Bennett talonna son cheval, et ils rentrèrent au galop sous les grondements du tonnerre.

Une heure plus tard, rasé de frais et revêtu de vêtements secs, il pénétrait dans la nurserie. Bernadette vint au devant de lui, un doigt sur les lèvres.

— Je vous demande pardon, Votre Altesse, mais la princesse Marissa dort.

— Je cherche lady Hannah.

— Lady Hannah n'est pas là, Monsieur. Elle a dit qu'elle allait visiter le musée.

— Le musée ? répéta Bennett d'un air pensif. Merci, Elisabeth.

Il était sorti avant même qu'elle ait fini sa révérence...

Le musée, ravissant avec ses sols de marbre et ses colonnes sculptées, ressemblait à un palais miniature. Au centre s'élevait une coupole de verre multicolore qui donnait l'impression de lumière et d'espace.

Les différentes salles se répartissaient autour, comme les rayons d'une roue. On avait installé à l'étage un petit restaurant d'où les visiteurs pouvaient admirer les jardins, au travers d'une large baie.

Hannah était arrivée dès l'ouverture pour faire un inventaire précis des lieux. Le système de sécurité était bien organisé, mais la foule nombreuse qui se pressait dans la grande salle et sur les bancs n'était pas contrôlée. Par cet après-midi pluvieux, la visite du musée était un passe-temps des plus agréables, et, parmi les visiteurs, Hannah ne risquait pas de se faire remarquer. Elle n'aurait pu choisir meilleur moment.

A l'heure qu'elle avait fixée dans son message, elle se dirigea vers un tableau de Monet qu'elle admira longuement. Son contact était certainement déjà là, en train de l'observer. D'un pas lent, elle se mit à errer de tableau en tableau...

Et soudain, elle aperçut l'aquarelle dont lui avait parlé Bennett. La plaque de cuivre indiquait le nom de Son Altesse Louisa de Cordina, mais on pouvait lire, en petites lettres au bas du tableau, cette signature : Louisa Bisset. L'œuvre était simplement intitulée : *La Mer*. Une mer qui se fracassait sur une haute falaise, sous un ciel d'orage...

— Très intéressant, ce paysage, n'est-ce pas ? déclara une voix inconnue, juste derrière elle.

Le contact venait d'avoir lieu...

— Oui, l'artiste est très habile.

Hannah laissa tomber sa brochure et, en se baissant pour la ramasser, vérifia d'un bref coup d'œil que personne ne les observait.

— J'ai les informations.

— Vous pouvez me les donner.

Elle se tourna vers lui avec un sourire, comme s'ils échangeaient des considérations banales. L'homme était de taille moyenne, très brun, la cinquantaine. Il n'était pas français d'origine. L'accent allemand était très faible, mais son oreille exercée le distinguait parfaitement.

— Il y a certaines choses que je tiens à ne livrer qu'à l'homme pour qui je travaille, précisa-t-elle.

— C'est contre les règles.

— Je sais. Mais je sais aussi ce qui a failli arriver il y a six mois, à cause de ces fameuses règles. Et je crois qu'on a dû apprécier mes initiatives quand j'ai tiré l'organisation de quelques... embarras.

— Mademoiselle, je suis ici pour recevoir vos informations.

— Alors, voici ce que j'ai à vous dire.

Avant de poursuivre, elle se dirigea vers un autre tableau et prit le temps de l'examiner. Elle leva la main comme pour indiquer à son compagnon certains détails.

— J'ai libre accès à toutes les parties du palais. Personne ne me suit, personne ne me fouille. J'ai déjà étudié tous les systèmes de sécurité, au palais, au Centre d'arts appliqués, et ici même.

— Tout cela nous sera très utile.

— Oui, mais je ne communiquerai ces renseignements qu'à celui qui me paie.

— Vous êtes payée par l'organisation.

— Je sais pour qui je travaille. L'organisation a certains buts. Moi aussi. Je serais ravie que nous les atteignions ensemble. Je souhaite rencontrer l'autorité suprême. Faites en sorte que ce soit bientôt.

— A marcher au bord du gouffre, on risque de tomber.

— Faites passer le message, je vous prie. Ce que je sais a une grande valeur. Vous trouverez ici de quoi vous le prouver.

Elle laissa de nouveau tomber la brochure à ses pieds.

— Au revoir, monsieur...

Hannah tourna les talons, consciente d'avoir joué le tout pour le tout et pris un gros risque. Les nerfs à vif, elle se dirigea à pas lents vers la sortie. Au même moment, Bennett entrait dans le hall, et elle crut que son cœur allait s'arrêter de battre.

En quelques secondes, mille pensées, toutes plus folles les unes que les autres, lui traversèrent l'esprit. Lui avait-on tendu un piège ? L'avait-on utilisée pour attirer le prince dans un traquenard ? Ou bien était-il parti à sa recherche parce que Deboque avait déjà frappé pendant son absence ?

Il lui fallut une fraction de seconde de plus pour chasser aussitôt ces idées folles. C'était simplement une coïncidence si Bennett se trouvait là au moment précis de son rendez-vous.

— J'espère que je ne vous dérange pas ?

— Bien sûr que non !

Elle n'osa pas se retourner pour voir si l'émissaire de Deboque avait déjà quitté la salle ou s'il les observait.

— Si vous le souhaitez, je serai votre guide...

Bennett avait pris sa main d'un geste amical et l'entraînait déjà vers les autres salles. Hannah se dit qu'une telle attitude ne pouvait que confirmer ses dires si l'homme était toujours là.

— Je pourrais passer des heures ici, mais je me sens un peu fatiguée.

C'est à ce moment-là qu'elle le vit. Il avait encore à la main la brochure qu'elle avait laissée tomber à ses pieds, et, bien qu'il leur tournât le dos, elle savait qu'il était en train de les écouter. Heureusement, Bennett n'avait d'yeux que pour elle. Et pour une fois, elle s'en réjouissait !

— Dans ce cas, permettez-moi de vous offrir le café dans mon bureau. J'aimerais vous parler.

— Avec plaisir.

Hannah se laissa conduire vers les étages supérieurs.

Elle savait que tout serait rapporté à Deboque dans les moindres détails.

Ils prirent l'ascenseur, suivis d'un garde du corps impassible. Bennett utilisa sa clé personnelle pour faire fonctionner l'appareil. Au troisième étage, ils durent passer devant deux gardes en uniforme et franchir plusieurs portes avant de se retrouver dans un vaste bureau, aux murs lambrissés de chêne clair. Aussitôt, une des deux secrétaires qui travaillaient dans la pièce voisine se précipita vers eux.

— Janine, serait-il possible d'avoir un peu de café, s'il vous plaît ?

— Tout de suite, Votre Altesse.

Bennett la suivit jusqu'à la porte et la ferma soigneusement. Et aussitôt qu'elle fut close, les bavardages commencèrent. Jamais Son Altesse n'avait encore amené de femme dans son bureau.

La pièce reflétait la personnalité du prince, homme épris d'art et d'harmonie. Les teintes dominantes étaient le gris, le blanc et le bleu. Des fauteuils profonds recouverts de satin bleu clair invitaient au repos et aux longues conversations amicales. Des étagères de verre supportaient de petits objets d'art précieux.

Sans doute était-ce là le refuge de Bennett lorsqu'il voulait s'échapper du palais pour goûter un peu de tranquillité...

— Asseyez-vous, Hannah. Si vous avez visité tout le musée, vous devez être épuisée.

— Oui, mais aussi comblée !

Elle choisit un fauteuil droit plutôt que le divan confortable qu'il lui désignait, et croisa les mains sur ses genoux.

— Si j'avais su que vous aviez l'intention de venir, je vous aurais accompagnée..., déclara Bennett, mal à l'aise.

96

Il est visiblement très nerveux, constata Hannah.

— Vous venez souvent travailler ici ?

— Quand c'est nécessaire. C'est souvent plus pratique que d'essayer de travailler chez moi.

Il n'avait pas la moindre envie de parler du musée. Encore moins de son travail, se dit-il en enfonçant les mains dans ses poches. Depuis quand était-il embarrassé devant une femme ?

— Hannah...

Un coup léger frappé à la porte l'interrompit. Janine fit son entrée, portant un petit plateau d'argent avec un pot de café fumant et deux tasses. La cafetière était en argent massif, et les bols en porcelaine de Chine d'un violet pourpre serti d'or.

— Posez ça ici, je m'en occuperai.

— Bien, Monsieur.

La jeune femme posa le plateau sur la petite table en face du divan, puis fit une révérence.

Bennett reprit, conscient d'avoir été brutal :

— Encore merci, Janine.

— Je vous en prie, Monsieur.

La porte se referma doucement derrière elle avec un petit déclic.

— Le café, ici, est toujours excellent, déclara Bennett en lui en servant une tasse. Et ces gâteaux viennent de notre restaurant. Servez-vous, vous me direz si vous les trouvez bons. Un peu de lait ?

— Non, merci. Et pas de sucre non plus.

Ils avaient l'un et l'autre si soigneusement évité de se croiser depuis deux jours que la gêne s'était installée, cachée derrière les politesses.

— Accepterez-vous de venir vous asseoir près de moi, si je promets d'être sage ?

Bien que cela fût dit d'un ton léger, Hannah percevait la tension dans sa voix. Elle baissa les yeux. Honte ? Timidité ? Il n'aurait su le dire...

— Bien sûr.

Elle se leva et le rejoignit sur le divan. Puis elle porta la tasse à ses lèvres.

— Hannah, je voudrais m'excuser pour mon comportement de l'autre soir. Je comprends très bien que vous vous soyez sentie offensée.

— Oh, je vous en prie !

Avec un désarroi qu'elle ne parvenait pas à maîtriser, elle posa sa tasse et voulut se lever. Bennett l'en empêcha.

— Je ne me suis pas sentie offensée, je vous assure. Simplement...

— Effrayée, alors ? C'est tout aussi inexcusable de ma part.

— Non, c'est-à-dire que... oui...

Quelle réponse était la bonne ? Elle décida pour une fois d'oublier un peu son rôle.

— Bennett, pour être tout à fait franche avec vous, la vérité, c'est que personne avant vous ne m'avait troublée à ce point.

— Merci.

— Ce n'est pas un compliment, mais un reproche !

98

Il éclata soudain de rire.

— Hannah, enfin, je vous retrouve !

Il se baissa légèrement pour lui embrasser les mains. Quand il la sentit se raidir, il les lâcha aussitôt tout en continuant à sourire.

— Alors, amis ?

Toujours sur ses gardes, elle acquiesça.

— Oui. C'est ce que je souhaite pour nous.

— Parfait...

Satisfait d'avoir réussi la première épreuve, Bennett se détendit. Le reste n'était plus qu'une question de patience...

— Qu'avez-vous préféré, au musée ?

— La lumière ! Trop de musées ressemblent à des cavernes ! A propos, j'ai vu un autre tableau de votre ancêtre. Le paysage marin. Il est tout simplement bouleversant.

— C'est l'un de mes préférés, répondit Bennett en prenant garde de ne pas la toucher. J'aurais voulu le garder pour moi seul, mais... cela n'aurait pas été très juste.

— Et vous êtes un homme juste, murmura Hannah en pensant qu'elle le trompait.

— J'essaie, en tout cas, dit-il en se promettant de n'user que de moyens honnêtes pour la conquérir. Vous montez à cheval, n'est-ce pas ?

— Oui.

— Pourquoi ne viendriez-vous pas avec moi, demain matin ? Il faudra se lever très tôt, car ma journée est très chargée, mais cela fait longtemps que je n'ai pas fait une longue promenade.

— Je ne sais pas si je peux. Eve...

— ... sera occupée par Marissa jusqu'à dix heures, s'empressa d'achever Bennett.

Rien ne pouvait lui faire plus envie. Une heure d'exercice et de grand air, une heure de liberté !

— Oui, mais j'ai promis de l'accompagner au Centre. Ses rendez-vous commencent à onze heures.

— Nous serons de retour bien avant.

Sentant son hésitation, il se fit plus insistant.

— Je vous en prie, venez. Vous verrez : Cordina, à l'aube, est tout simplement sublime...

— Entendu !

Elle avait répondu impulsivement. Mais après tout, elle avait bien le droit de s'accorder un peu de détente ! Dans quelques jours, elle rencontrerait Deboque. Après, ce serait la réussite... ou la mort.

Oui, elle avait bien le droit de vivre intensément, pour une fois...

6.

Bennett n'avait pas exagéré : sublime était le mot juste pour décrire les paysages de Cordina à l'heure où le soleil se levait, jetant sur les alentours une lumière dorée...

En montant à cheval, Hannah regarda la monture de Bennett, avec une envie mêlée d'une certaine frayeur. Les écuries de son père possédaient certains des plus beaux pur-sang d'Angleterre, mais ceux-ci n'avaient rien de comparable à l'étalon noir, nerveux et rapide, fin et racé.

— Un cheval comme celui-ci doit avoir une âme, ne put-elle s'empêcher de remarquer tandis que Bob, le vieux lad s'écartait du prince.

— Naturellement.

Bennett retint l'étalon qui frémissait d'impatience.

— Votre Quichotte est puissant, mais il se conduit en gentleman. Gaby le monte souvent quand elle est ici.

Hannah répondit simplement :

— Merci, Monsieur. C'est très aimable à vous de m'avoir donné un cheval pour dame.

Il crut reconnaître une nuance ironique dans sa voix, mais quand il la regarda, il ne croisa que des yeux calmes et un regard poli.

— J'ai pensé que nous pourrions aller jusqu'à la mer.

— Très bonne idée.

Bennett fit prendre à son cheval un petit trot paisible cependant qu'Hannah rêvait de galops fous...

— C'est vraiment très gentil à vous de m'avoir invitée, dit-elle. J'ai entendu dire que vos promenades matinales étaient sacrées ! Et solitaires...

Il lui sourit, content de la voir si parfaitement à l'aise sur un cheval.

— C'est exact. Mais de temps en temps, j'apprécie la compagnie.

En réalité, ce n'était plus vrai depuis un certain temps. Très exactement, depuis que Deboque avait été relâché. Maintenant, Bennett ne pouvait plus faire un pas sans qu'un garde du corps le suive comme une ombre. Son regard s'assombrit sous l'effet de la colère et de l'exaspération. Il avait hâte que Deboque se montre enfin. Il souhaitait s'en occuper personnellement et, si possible, de manière définitive.

L'expression de Bennett mit Hannah mal à l'aise. L'homme qui était à son côté n'avait plus rien de commun avec le prince galant et courtois qu'elle connaissait. Sa nervosité, d'ailleurs, se communiquait à sa monture. Elle vit le parfait contrôle qu'il avait sur l'animal qui, sous une simple pression du genou, se remit au petit trot. Cet homme-là pouvait être brutal et délicat, tendre et passionné... Fascinant !

— Quelque chose ne va pas ? demanda-t-elle d'un ton anodin.

Il lui jeta un regard étonné.

— Comment ?

Une fraction de seconde, elle croisa son regard sombre. Puis il sourit de nouveau. Il n'était pas question de Deboque, ce matin, se dit-il. Il ne fallait pas laisser cet homme empoisonner les meilleurs moments de son existence.

— Non, tout va bien. Racontez-moi un peu comment vous vivez en Angleterre, Hannah. J'ai du mal à vous imaginer là-bas.

— Nous vivons paisiblement à Londres, mon père et moi.

C'était la vérité. Alors pourquoi avait-elle l'impression de mentir ?

— Je travaille beaucoup chez moi, poursuivit-elle prudemment.

— Vous travaillez ? Ah, vous voulez parler de vos essais ?

Il la conduisait le long d'un chemin facile, où la pente était douce.

Elle sentit de nouveau cette curieuse sensation de malaise.

— Oui. J'espère avoir terminé d'ici la fin de l'année pour la parution, l'année prochaine.

— J'aimerais les lire.

Elle lui lança un regard surpris, puis se raidit. Par peur ? Non. Elle avait assez de textes pour satisfaire sa curiosité. Non, elle ne craignait rien de ce côté-là. Mais elle avait l'impression de ne pouvoir longtemps continuer à lui mentir.

— Je crois qu'ils ne vous intéressent guère...

— Vous avez tort. Tout ce qui vous concerne m'intéresse.

Elle baissa les yeux. Non par timidité, comme il aurait pu le croire, mais par gêne.

Ils avancèrent un long moment en silence, puis, quand ils atteignirent le sommet de la colline, Bennett arrêta son cheval, la monture d'Hannah se mit à brouter paisiblement l'herbe rare. Derrière elle, elle sentait Devil frémir d'impatience, et elle avait l'impression que son maître vibrait avec lui de ce même désir de bondir...

— C'est curieux comme la distance change les choses, murmura-t-il soudain.

Suivant son regard, elle aperçut le palais. De loin, on eût dit un ravissant jouet d'enfant, une maison de poupée... A l'est s'étendait la mer, encore cachée par les falaises et les arbres, mais dont on entendait le sourd grondement. Comme le palais, le paysage lui aussi semblait un peu irréel.

— Eprouvez-vous souvent le besoin de vous échapper ainsi ? demanda doucement Hannah.

— Parfois, oui.

Il était surpris qu'elle le devine si bien. Serrant les rênes d'une main vigoureuse, il maîtrisait l'étalon tout en continuant à regarder le paysage.

— J'ai passé quelque temps à Oxford, puis sur l'un de nos navires. Cordina me manquait tellement que c'en était presque douloureux. Mais depuis que je suis rentré, surtout depuis ces derniers mois, je me sens inquiet. Comme si j'attendais que quelque chose se produise.

Ils pensaient tous deux à Deboque.

— Souvent, à cette époque de l'année, en Angleterre, on se plaint du brouillard et de l'humidité, intervint Hannah. Quand je regarde par la fenêtre, je serais presque prête à vendre mon âme pour un rayon de soleil ! Et puis, quand je m'en vais, je commence à regretter mes brumes natales...

Ils se remirent en route tandis qu'elle continuait à évoquer ses souvenirs avec un sourire nostalgique...

— Je ne savais pas que l'Angleterre vous manquait à ce point.

— On regrette toujours ses racines, je crois...

Les arbres commençaient à s'éclaircir. Ceux qui s'obstinaient à pousser sur le sol sableux avaient leur tronc tordu par le vent du large. Le sentier devenait plus rude, et Bennett se plaça entre elle et l'abîme. Elle retint un petit sourire.

Il ne pouvait deviner qu'elle était parfaitement capable de monter à cru et de partir au galop ! Le vent se mit à souffler violemment, défaisant la belle ordonnance du chignon d'Hannah. Elle contempla la splendide échappée sur la mer, regarda une mouette filer dans le ciel.

— C'est impressionnant ! s'exclama-t-elle soudain.

Il lut dans ses yeux ce qu'elle savait si bien cacher d'ordinaire ; son goût de l'aventure et des grands espaces. Cela la rendait plus belle, et plus mystérieuse encore. Il éprouvait si fort le désir de l'embrasser ! Mais il ne devait pas...

— Je tenais beaucoup à vous emmener ici, mais j'avais peur que la hauteur ne vous effraie.

— Non, au contraire.

Son cheval fit mine de ruer, et elle le retint avec une aisance qui trahissait une longue expérience.

— Il y a beaucoup de beaux paysages dans le monde, poursuivit-elle. Mais si peu qui aient... une âme ! J'ai cette impression, ici.

Elle s'arrêta soudain, frappée d'une brusque illumination.

— Mais c'est... c'est le paysage du tableau. Il n'y a pas de menace de gros temps, mais c'est bien ici, n'est-ce pas ?

— Oui.

A cet instant, Bennett ferma un instant les yeux, sous le choc de la révélation qui se faisait jour en lui : il était amoureux d'Hannah. Follement. Violemment.

Offrant son visage à la caresse du vent, il resta silencieux pour ancrer au plus profond de lui-même le souvenir de cet instant, peut-être le plus important de sa vie.

Elle se tenait très droite sur sa selle, complètement absorbée dans la contemplation du paysage. Belle, tout simplement... En la regardant, il découvrait la chose la plus précieuse au monde, à laquelle il n'osait plus aspirer. Et pour la première fois de sa vie, il ne trouvait pas les mots pour le lui dire.

— Hannah...

Elle se tourna vers lui. C'était l'homme le plus beau qu'elle avait jamais vu. Plus exaltant encore que la vue superbe qui s'offrait à eux, plus dangereux que l'abîme proche. Il se tenait fièrement sur son étalon, et son visage avait l'expression tourmentée d'un poète. Dans ses yeux, elle lisait à la fois la passion et la tendresse, le désir de posséder, l'envie de donner.

Son cœur la trahit avant que son esprit n'ait eu le temps de réagir et d'un geste spontané, elle lui tendit la main.

— Je sais ce que vous pensez de moi.

— Bennett...

— Vous ne vous trompez pas beaucoup. Je pourrais vous mentir et vous promettre de changer, mais je ne le ferai pas.

Elle sentait son cœur s'attendrir. Seulement pour cette fois, se dit-elle. C'est un moment magique, qui ne se reproduira plus jamais.

— Bennett, je ne vous demande pas de changer.

— L'autre soir, je me suis montré très maladroit, mais je savais où j'allais, Hannah. Je voulais simplement vous faire comprendre que c'est vous que je veux. Vous, et vous seule.

Il poursuivit en regardant la mer :

— Je comprends aussi très bien qu'il vous soit très difficile de me croire.

Et pourtant, elle le croyait. C'était dangereux, et interdit, mais elle le croyait. Pendant un bref instant de bonheur total, elle se permit d'espérer. Puis elle se rappela qui elle était. Le devoir d'abord. Toujours le devoir.

— Je vous en prie, il faut me croire. Si je pouvais vous donner ce que vous demandez, je vous le donnerais. Mais c'est impossible.

Elle retira doucement sa main.

— J'ai toujours pensé que tout était toujours possible si on le voulait vraiment.

— Non. Pas toujours, répondit-elle en faisant faire volte-face à son cheval. Je crois qu'il est temps de rentrer.

Mais déjà, il avait saisi ses rênes et retenait son cheval. Il approcha encore plus près d'elle.

— Dites-moi ce que vous éprouvez, murmura-t-il.

— Ce que j'éprouve ? Du regret, Bennett...

En même temps qu'elle prononçait le mot, elle eut l'impression qu'il la traversait comme une flèche de feu.

Le prince lâcha les mains d'Hannah pour passer les bras autour de sa nuque, d'un geste impérieux.

— Et maintenant, dites-moi ce que vous éprouvez... dit-il en penchant son visage vers le sien.

Son baiser fut comme un soupir, à la fois plein d'ardeur et de retenue. Hannah crispa les mains sur ses rênes, puis les laissa tomber le long des flancs du cheval, envahie par une bouleversante émotion. Il n'aurait pas fallu que ce soit comme cela, si violent, si troublant, et si juste... Le vent tourbillonnait autour d'eux. Le bruit des vagues semblait rythmer le temps. Pendant une fraction de seconde, toute pensée rationnelle disparut, mettant à nu leur désir.

— Bennett !

Plus qu'un murmure de protestation, c'était presque un gémissement. Tout était allé trop vite... Et s'il ne voulait pas compromettre ses chances, Bennett devait s'écarter. Même si cela le mettait à la torture...

108

— Ne craignez rien, Hannah. Je ne vous brusquerai pas. Je ne vous demanderai rien que vous ne soyez prête à me donner, dit-il avec un sourire. Faites-moi confiance. Pour le moment, c'est tout ce que je désire.

Devant cette tendresse et cette douceur qu'elle ne méritait pas, elle sentit les larmes lui monter aux yeux. Tout ce qu'elle lui avait donné jusqu'à présent, c'était des mensonges. Mais des mensonges destinés à les protéger, lui et les siens, se rappela-t-elle.

Essuyant vivement une larme, elle talonna son cheval qui partit au galop.

La première réaction de Bennett fut la surprise. Il ne s'attendait pas à ce qu'elle maîtrise à ce point sa monture. Il la regarda un moment dévaler le sentier escarpé, puis lança Devil à sa poursuite. Bien qu'elle ait pris une confortable avance, Hannah entendit bientôt le galop sourd de l'étalon qui gagnait du terrain. Ravie, elle se coucha sur l'encolure de son cheval et le pressa encore davantage.

— On ne pourra pas les prendre de vitesse, dit-elle à Quichotte. Mais on peut essayer de se montrer plus malins !

Excitée par le défi, Hannah quitta le sentier et s'enfonça dans la forêt. Là, le chemin était à peine visible. Bennett était quasiment sur ses talons, mais, gêné par les arbres, ne pouvait la dépasser. Elle déboucha tout à coup au beau milieu d'une clairière, et son instinct lui souffla de tourner à gauche. Surpris par la manœuvre, Bennett fut une fraction de seconde déséquilibré. Pourtant, il continuait à la talonner, et c'est ensemble qu'ils sautèrent la barrière blanche qui entourait les écuries royales...

Hannah arrêta enfin sa monture devant les lads ébahis, avec un grand éclat de rire. Tout en se laissant glisser de sa selle, Bennett, de son côté, sentait l'excitation de la course précipiter encore les battements de son cœur. Elle avait à peine quelques secondes de retard, et il se précipita vers elle pour la saisir par la taille.

— Où avez-vous appris à monter ?

Elle posa les mains sur son torse, autant pour garder une certaine distance que pour rétablir son équilibre.

— C'est ma passion, après la littérature. J'avais oublié combien cela pouvait me manquer, depuis tout ce temps.

Dans le regard de Bennett brillait le désir. Un désir à l'état brut, vital, impérieux. Il ne savait pourquoi, mais il avait l'impression de découvrir deux femmes en une. La première, calme et mesurée, l'autre, toute de flamme et de passion. Il n'aurait su dire laquelle l'attirait le plus.

— Montez avec moi, demain matin.

Elle en brûlait d'envie. Mais recommencer ce qu'ils venaient de vivre, c'était prendre un risque qui pouvait se transformer en erreur fatale.

— Non, c'est impossible, répondit-elle fermement.

Mais son cœur, lui, disait oui...

Comme le temps passait vite ! Hannah tenait entre sa main une lettre postée dans le Sussex. A l'intérieur, il y avait la réponse de Deboque à sa demande d'entrevue.

Elle ouvrit lentement l'enveloppe avec un coupe-papier en ivoire. Le message ne contenait que quelques lignes à propos d'un rendez-vous en Angleterre. Il ne fallut que quelques minutes à Hannah pour le décoder.

Sa demande était accordée. L'entrevue aurait lieu le trois décembre, à onze heures et demie, au *Café du Dauphin*. Seule. Le mot de passe serait de banales considérations sur le temps, en français.

Le trois décembre... C'était ce soir ! L'étape décisive serait franchie ce soir ! Hannah replia la lettre et la remit dans l'enveloppe qu'elle posa en évidence sur le bureau, à côté d'un vase de cristal contenant une rose que Bennett lui avait envoyée dans la matinée...

Si seulement la vie pouvait être aussi simple et belle !

Un instant plus tard, elle pénétrait dans les appartements du prince Armand...

— Votre Altesse, je suis désolée de vous déranger.

— Vous ne me dérangez pas, Hannah.

— Je voudrais solliciter votre avis à propos d'une affaire me concernant. Si cela vous ennuie, je peux revenir plus tard.

— Je vous en prie, asseyez-vous. Vous êtes la bienvenue.

Le prince demanda à son secrétaire de les laisser et, dès qu'il se fut éclipsé, Hannah ne perdit pas une minute...

— Votre Altesse, l'offensive est lancée. Il faut faire venir Reeve immédiatement.

— Tout cela ne me satisfait pas complètement, déclara le prince quand ils furent réunis tous trois dans la pièce.

Comment être sûrs que Deboque se contentera des informations qu'Hannah lui a préparées ?

— Il s'en contentera parce que c'est presque la vérité, repondit Reeve en se servant une deuxième tasse de café.

— Mais est-ce qu'il la croira ?

— C'est mon métier de l'en convaincre, intervint Hannah d'une voix paisible. Votre Altesse, je sais que vous êtes hostile à cette opération depuis le début, mais jusqu'à présent, tout a marché exactement comme nous l'avions prévu.

— Jusqu'à présent, oui, répondit Armand en se levant.

Il leur fit signe de rester assis et se mit à faire les cent pas devant la baie vitrée.

— Maintenant, poursuivit-il, je me trouve devant la lourde responsabilité d'envoyer une jeune femme que nous estimons et aimons tous ici, seule, devant un meurtrier...

— Elle ne sera pas seule.

A ces mots, Hannah se raidit.

— Si Deboque et ses hommes se méfient, le contact n'aura pas lieu ! J'ai consacré à cette mission deux ans de ma vie, ajouta-t-elle en se levant à son tour. Je veux réussir.

— Et nous, nous voulons vous voir revenir vivante, trancha Reeve d'un ton sans réplique. Nous connaissons le quartier général de Deboque, sur la côte. Nos hommes le surveilleront.

112

— Dites plutôt que ce seront eux qui seront sur-veillés.

— A chacun son rôle, Hannah. Vous avez tous les documents concernant les différents systèmes de sécurité ?

Hannah se rassit d'un air ennuyé.

— Oui, bien sûr. Et je sais que je ne dois les remettre qu'à Deboque en personne.

— Vous savez aussi que, si vous avez la sensation que les choses risquent de se gâter, vous avez ordre de vous retirer ?

Elle acquiesça, bien qu'elle n'ait pas la moindre intention d'obéir.

Reeve se leva et s'approcha d'elle.

— Hannah, je connais votre excellente réputation. Il y aura deux hommes à nous dans ce café, parce que mon devoir est de vous protéger.

Il se tourna vers le prince.

— J'ai encore quelques petites choses à mettre au point. Je vous tiendrai informé, dit-il avant de sortir.

Armand attendit que la porte se soit complètement refermée pour apostropher Hannah.

— Encore un instant, s'il vous plaît !

Hannah n'avait plus qu'une envie : être seule, pour mettre minutieusement l'opération au point. Ce n'était plus qu'une question d'heures, maintenant. Avec un soupir, elle se rassit.

— J'ai une question d'ordre... personnel à vous poser, Hannah. Promettez-moi avant toute chose de ne pas vous sentir offensée.

Il s'assit sur la chaise que venait de quitter Reeve avec une raideur toute militaire.

— Mon fils n'est-il pas en train de tomber amoureux de vous ?

Tout le corps en alerte, Hannah crispa les mains sur ses genoux.

— Si vous voulez parler du prince Bennett, Monsieur, il a toujours été très gentil avec moi.

— Hannah, je vous en prie. Abandonnez les convenances. Le devoir me prive trop souvent du temps que je pourrais consacrer à ma famille, mais cela ne n'empêche pas de bien connaître mes enfants. Je crois que Bennett est amoureux de vous.

Elle devint très pâle.

— Non...

Elle inspira avant de répéter, plus fermement cette fois :

— Non. Il n'est pas amoureux. Peut-être un peu intrigué par la femme que je suis, si différente de celles qu'il rencontre habituellement.

Armand lui saisit la main et plongea son regard dans le sien.

— Je ne vous ai pas posé cette question pour vous mettre mal à l'aise. Quand j'ai commencé à m'en rendre compte, cela m'a un peu ennuyé, car Bennett ignore la vraie raison de votre présence.

— Je comprends.

— Je ne suis pas sûr que vous me compreniez tout à fait. Bennett ressemble plus à sa mère que mes autres enfants.

114

Il est très... vulnérable. A première vue, on peut le trouver provocant et très sûr de lui. Mais ce n'est qu'une apparence, et ses sentiments sont souvent à vif. Si je vous posais cette question, c'est simplement parce que, si votre réponse à ma seconde question est non, je vous demanderai d'agir avec beaucoup de précaution. L'aimez-vous aussi, Hannah ?

Elle baissa vivement les yeux.

— Ce que je peux éprouver pour Bennett ou pour qui que ce soit dans votre famille n'interférera pas avec ma mission.

— Je crois savoir reconnaître les gens capables d'aller jusqu'au bout de leur tâche. Mais vous ne m'avez pas répondu. Aimez-vous mon fils ?

— Je ne peux pas, articula Hannah d'une voix plus forte, mais étranglée par un sanglot. Je lui ai menti depuis le début, et je suis obligée de continuer. On ne peut mentir à ceux que l'on aime. Je vous prie de m'excuser, Votre Altesse.

Armand la laissa partir. Il se laissa un moment aller dans son fauteuil, les yeux fermés. Dans les heures qui allaient suivre, il ne pouvait rien faire d'autre que prier pour elle...

Le café où elle avait rendez-vous n'était pas un de ces élégants lieux de rencontres comme il y en a tant à Cordina. C'était un petit bar du port fréquenté par les matelots, et où une femme seule ne s'aventurait pas sans risques...

Pourtant, l'entrée d'Hannah n'attira pas particulièrement l'attention. Il est vrai qu'elle avait pris soin, comme d'habitude, de s'habiller pour n'être pas remarquée. Si tout se passait bien, elle n'aurait même pas à se donner la peine de décourager les assiduités éventuelles des hommes accoudés au comptoir.

Hannah s'installa à une table, près de la porte, et commanda un soda. Le temps qu'on le lui apporte, elle fit une rapide inspection de la salle. Si Reeve avait mis deux hommes à lui en surveillance, ils passaient vraiment inaperçus. L'œil exercé de la jeune femme les aurait repéré depuis longtemps...

Elle patientait depuis dix bonnes minutes quand un homme s'approcha d'elle.

— C'est dommage d'être seule pour boire un verre.

— C'est encore plus dommage de ne pas pouvoir rester seule quand on en a envie.

Hannah s'était détendue dès les premiers mots. L'homme était épais et grossier, et il avait visiblement trop bu. Ce n'était pas celui qu'elle attendait.

— Quand on est aussi mal faite, on ne devrait pas être aussi difficile, grommela l'homme en titubant jusqu'à sa table.

Hannah eut un léger sourire et regarda vers la porte. Un autre homme venait d'entrer.

Il portait des vêtements de marin, et sa casquette lui descendait très bas sur le visage. Il avait la peau tannée par le vent et le soleil. Tout de suite, la jeune femme fut en alerte. Cette fois, c'était lui, elle en était sûre.

Pourtant, elle continua à boire nonchalamment son verre tandis qu'il venait s'asseoir à la table voisine.

— Vous avez l'heure, mademoiselle ?

— Oui, il est minuit moins le quart.

— Merci.

Il commanda un whisky, puis laissa passer une longue minute avant de reprendre :

— Il fait chaud, ce soir.

— Oui, un peu.

Ils ne se parlèrent plus. Derrière eux, des hommes commencèrent à chanter. Le vin coulait à flots, et la nuit ne faisait que commencer. L'homme finit son verre, puis se dirigea vers la sortie. Hannah attendit quelques secondes, puis le suivit.

Il l'attendait sur le quai. La lumière était si faible qu'elle discernait à peine une ombre, longue et maigre. Elle s'approcha de lui, consciente que c'était peut-être la fin pour elle.

— Nous prenons un bateau.

Il fit un geste vers un petit canot à moteur, amarré au bord du quai.

Hannah n'avait plus le choix. Bien que son voyage pût être sans retour, elle n'envisagea même pas de reculer. Deboque l'attendait. Elle atteignait au but.

Elle sauta sans hésitation dans la petite embarcation et s'assit à l'arrière. L'homme descendit sans rien dire, et fit démarrer le moteur. Sur l'eau, ce fut comme une explosion qui troua la nuit.

Hannah prit une profonde inspiration. Pour elle, tout commençait vraiment...

7.

Reeve serait furieux, mais elle n'avait pas eu le choix... Ainsi, Deboque n'était pas à la villa, comme ils l'avaient cru. Et c'était en mer qu'il avait trouvé refuge... A moins que l'homme qui la conduisait ne change brutalement de direction. Non, il n'y aurait plus de retour en arrière, maintenant. Hannah respira de nouveau profondément...

Ce soir, elle rencontrerait enfin Deboque. Son pouls était tranquille, son souffle égal. Elle appréciait la sensation des goutelettes d'eau froide sur sa peau. Sa petite croisière nocturne sur la Méditerranée la menait droit au but auquel elle aspirait depuis plus de deux ans.

Cette fois, plus que jamais, elle n'avait pas droit à l'erreur. Depuis deux ans, elle avait fait son chemin dans l'organisation de Deboque, se fiant la plupart du temps à son instinct et à son expérience. Avec l'appui de l'ISS, elle avait mené à bien plusieurs missions que lui avait confiées Deboque : ventes d'armes, de diamants...

La fin justifiait les moyens...

Maintenant, si tout se déroulait sans problème, elle allait accéder au saint des saints et détruire l'organisation criminelle de Deboque en portant le coup fatal. Elle avait même réussi à discréditer auprès de Deboque son meilleur homme, Dumont, qu'il considérait comme son bras droit. En faisant échouer quelques-unes des opérations dont il était chargé, elle avait fini par le faire passer pour un individu incompétent dès qu'il s'agissait d'affaires d'une certaine envergure. Et cela, grâce à la complicité de l'ISS... A présent, elle aurait beau jeu de demander des comptes à Dumont pour les maladresses qu'il avait accumulées...

Elle aperçut enfin un yacht élégant dont la blancheur éclatante trouait la nuit. Un frisson la parcourut... Son guide se leva et fit un signal avec une torche électrique. Un éclair lumineux jaillit de l'arrière du bateau. Aussitôt, l'homme coupa le moteur, et ils glissèrent en silence jusqu'à l'échelle d'abordage.

En haut, un homme les attendait sur le pont. Il était très grand et avait le teint basané.

— Lady Hannah...

Il s'inclina devant elle avec élégance. Elle le reconnut aussitôt pour l'avoir brièvement rencontré une fois au cours d'une opération. C'était Ricardo Batemen, un Islandais d'une trentaine d'années qui avait fait quelques années d'études de médecine avant de faire partie de l'équipe de Deboque. Un homme cruel, redoutable...

— Je m'appelle Ricardo. Bienvenue sur l'*Invincible*.

— Merci, Ricardo.

Elle jeta un bref coup d'œil autour d'elle et ne compta pas moins de cinq hommes qui semblaient lui faire escorte.

Il y avait aussi une femme vêtue d'un sarong de soie sur son maillot de bain.

— Puis-je avoir quelque chose à boire ?

Il la regarda et elle s'aperçut qu'il avait les yeux fixes, d'un bleu étrangement clair. Sa voix était chaude et grave quand il lui répondit :

— Bien sûr. Mais nous devons prendre quelques précautions que vous comprendrez, j'en suis sûr. Votre sac, s'il vous plaît.

— Est-ce vraiment nécessaire ? demanda-t-elle, étonnée.

— Absolument.

Puis il ajouta, en prenant le sac qu'elle lui tendait :

— Maintenant, si vous voulez bien suivre Carmine, elle va s'assurer qu'aucun micro n'a été placé à votre insu dans vos vêtements.

Quelques instants plus tard, Hannah rajustait son sweater. La fouille avait été plus ennuyeuse qu'humiliante. Carmine avait maintenant son poignard, et Ricardo son pistolet. Mais elle s'attendait à cela. Elle était désormais sans armes dans un repaire de bandits sans foi ni loi, seule au beau milieu de la Méditerranée...

Ricardo ouvrit la porte de la cabine et déclara :

— Encore toute mes excuses pour ce petit contretemps, lady Hannah.

— Je vous en prie, Ricardo. J'espère seulement qu'il n'y en aura pas d'autre.

Il ne lui avait pas rapporté son sac mais elle n'en fit pas la remarque.

— Je vous le promets. Si vous voulez bien me suivre...

Hannah lui emboîta le pas, se déplaçant avec aisance dans les coursives, malgré le léger tangage. Le yacht avait la taille d'un petit hôtel, remarqua-t-elle. Le tapis sur lequel ils marchaient était d'un rouge écarlate, et toutes les boiseries étaient de chêne soigneusement ciré.

Ricardo s'arrêta devant une porte et frappa deux coups. Puis, sans attendre la réponse, il tourna la poignée et il lui fit signe d'entrer. Hannah entendit la porte se refermer doucement derrière elle.

La pièce était richement décorée, presque excentrique. Tout était du plus pur style XVIIIe, mais surchargé, d'un luxe démesuré. Les tapis étaient d'un bleu royal orné de fleurs de lys, et tous les murs étaient recouverts de miroirs biseautés. Un superbe lustre de cristal inondait de sa lumière trop vive les boiseries anciennes et les capitonnages de velours.

Il ne fallut que quelques secondes à Hannah pour noter tous ces détails. Dans ce décor extravagant, l'homme qui trônait derrière le bureau Louis XVI semblait parfaitement à l'aise. Elle s'attendait à rencontre le diable... et découvrit un élégant quinquagénaire dont la chevelure argentée encadrait un visage d'une finesse aristocratique. Ses vêtements noirs mettaient en valeur son teint étonnamment pâle. Ses yeux étaient noirs, eux aussi, et perçants comme ceux d'un aigle. Il était en train de l'étudier tandis qu'un sourire se dessinait sur son visage.

Elle avait vu des photos de lui et l'avait étudié longuement. Pourtant, elle n'était pas prête à affronter le choc de l'intense sensualité et du charme indéniable qui se dégageaient de cet homme...

Il se leva avec grâce.

— Lady Hannah...

La main qu'il lui tendait était longue, soignée, et trois diamants en ornaient les doigts.

Hannah n'avait plus le droit d'hésiter, bien que, pour la première fois, elle ressentit un léger frisson de peur. Elle s'avança vers lui.

— Monsieur Deboque, je suis très heureuse de vous rencontrer.

Elle nota avec joie qu'il était surpris de l'entendre prononcer son nom.

— Asseyez-vous, je vous en prie. Aimeriez-vous un porto ?

— Oui, merci.

Elle choisit un fauteuil à dos droit, face au bureau. Une musique douce sortait de haut-parleurs invisibles. Chopin... Elle se laissa porter par la sérénité du piano tandis que Deboque sortait un flacon ciselé d'un petit meuble chinois.

— Le décor de votre bureau est exquis, ajouta-t-elle.

— J'aime ce qui est beau.

Il lui servit un verre de porto puis, au lieu de se rasseoir, s'installa à côté d'elle.

— A votre santé, mademoiselle.

— A votre santé.

— Peut-être consentirez-vous à m'expliquer comment vous avez eu connaissance de mon nom ?

— J'ai pour habitude de me renseigner avant d'accepter de travailler pour quelqu'un, monsieur Deboque, répliqua-t-elle tout en refusant d'un geste de la main la cigarette qu'il lui offrait. Permettez-moi de vous féliciter pour votre système de sécurité. Votre équipe est extrêmement vigilante. Découvrir qui « tirait les ficelles » n'a pas été une mince affaire.

Il tira une longue bouffée de cigare avant de répondre :

— Cela paraissait même impossible.

Elle se permit un regard amusé.

— Peu de choses me semblent impossibles.

Il ne répondit rien, se contentant de la regarder un long moment en silence, les yeux mi-clos.

— Les rapports qui m'ont été faits à votre sujet sont très flatteurs, lady Hannah.

— Naturellement.

Ce fut à son tour de sourire.

— J'admire beaucoup les gens qui ont confiance en eux.

— Moi aussi.

— Il semble que j'ai une dette à votre égard à propos d'un petit marché avec nos voisins méditerranéens. Je dois reconnaître que j'aurais été très déçu de le manquer.

— C'était tout naturel, monsieur. L'affaire a eu le mérite de mettre le doigt sur certaines failles de votre système.

— C'est possible, en effet, murmura-t-il. Votre séjour à Cordina vous plaît-il ?

Son cœur se mit à battre plus fort, mais elle réussit à garder son calme.

— L'endroit est très beau, dit-elle en jetant un regard autour d'elle. Moi aussi, j'apprécie la beauté. Cela compense un peu le fait que je trouve les Bisset un peu... ennuyeux.

— Le fait de cohabiter avec la famille royale ne vous impressionne pas ?

— Je ne suis pas facilement impressionnable. Ce sont certes des gens très estimables, mais ils sont tellement dévoués à leur famille, à leur pays... Ils en deviennent franchement ennuyeux.

Elle eut un petit rire moqueur et ajouta :

— Je préfère personnellement me consacrer à des valeurs plus tangibles que l'honneur ou le sens du devoir.

— Vous oubliez la loyauté, lady Hannah.

Elle le regarda bien en face. Il l'observait d'un œil aigu, capable de percer toutes les dissimulations et tous les masques.

— Je suis capable de loyauté... aussi longtemps que je peux en retirer quelque profit.

Elle savait que se montrer déloyal dans l'organisation de Deboque était immanquablement sanctionné par la mort. Elle soutint son regard sans broncher, tendue à l'extrême, jusqu'au moment où Deboque partit d'un grand éclat de rire.

— Vous avez le mérite d'être franche, et ça me plaît ! J'ai tout intérêt à faire en sorte que l'affaire continue d'être profitable pour garder quelqu'un de votre talent et de votre ambition.

— J'espérais que vous partageriez mon point de vue. Je ne souhaite pas rester une simple exécutante, vous comprenez, n'est-ce pas ?

— Oui, bien sûr. Cela fait deux ans que vous travaillez pour nous, n'est-ce pas ?

— Oui.

— Et durant ces deux années, vous vous êtes montrée extrêmement utile.

Il se leva et prit une enveloppe scellée sur son bureau.

— C'est vous qui m'avait fait transmettre ceci, je suppose ?

Elle fit tourner lentement le porto dans son verre.

— Oui.

— C'est intéressant, mais... incomplet.

Elle croisa les jambes et se laissa aller contre le dossier de son fauteuil.

— Une femme qui écrit tout ce qu'elle sait n'est pas très fiable. Ce que vous ne trouverez pas dans ce document se trouve là...

Et joignant le geste à la parole, elle se tapota doucement le front.

— Je vois. Si je vous dis que je veux tout savoir sur le système de sécurité du palais, du musée et du Centre d'arts appliqués, vous pourrez m'avoir tout ça dans les plus brefs délais ?

— Sans aucun problème.

— Et si je vous demande comment vous obtenez de telles informations ?

— C'est dans ce but que je me suis introduite dans la famille royale de Cordina.

Il tapota l'enveloppe d'un air intrigué.

— Vous avez eu beaucoup de chance d'être très proche de la princesse Eve.

— Ce n'était pas difficile. Elle se sentait seule, et je suis très accomodante. J'ai joué avec sa fille, écouté ses peurs et ses plaintes. Et, en la déchargeant d'un certain nombre de tâches, j'ai aussi gagné la sympathie du prince Alexander. Il se fait beaucoup de souci pour la deuxième grossesse de sa femme.

— Et on vous fait confiance ?

— Il me semble, oui. Ma famille est estimée, mon éducation sans reproche. Le prince Armand me voit comme une jeune cousine de sa défunte femme. Excusez-moi, monsieur, mais n'est-ce pas la raison pour laquelle vous m'avez confié cette mission.

— Oui, en effet.

Il se rassit. Elle lui plaisait, mais il n'était pas encore décidé à lui accorder toute sa confiance.

— Il paraît que le jeune prince s'intéresse à vous ?

Hannah sentit son sang se figer dans ses veines.

— Vous avez décidément un remarquable réseau d'information.

Elle regarda son verre vide, et Deboque se leva aussitôt pour le remplir. C'était juste assez pour qu'elle reprenne contenance.

— Vous savez sans doute que Bennett est un play-boy notoire, expliqua-t-elle. En fait, de ce point de vue, c'est encore un gamin. Mais j'ai tout de suite réduit ses espoirs à néant en lui faisant savoir qu'il ne m'intéressait pas.

Elle eut un petit rire bref tout en se demandant, au fond d'elle-même, comment elle allait faire désormais pour ne pas se haïr.

— D'après vous, le système de sécurité du palais est-il inviolable ? enchaîna Deboque.

— Théoriquement tout système de sécurité peut être neutralisé. Reeve MacGee a mis sur pied un système tout à fait remarquable, mais il n'est pas invincible.

— Intéressant...

Il s'empara d'une petite figurine en porcelaine qu'il commença à tourner entre ses doigts. Un lourd silence régna dans la pièce. Hannah comprit que Deboque jouait avec ses nerfs.

— Et avez-vous une idée de la méthode à suivre pour le neutraliser ?

Elle but une gorgée de porto avant de répondre :

— De l'intérieur, oui.

— Et en ce qui concerne le Centre ?

— Même chose.

— A propos de la pièce que la princesse est en train de monter, ce serait peut-être amusant de créer une petite... diversion, vous ne trouvez pas ?

— De quelle sorte ?

Il eut un mince sourire.

— Oh, ce n'est qu'un vague projet. Mais il me semble que la famille royale serait contrariée si quelque chose venait déranger la belle harmonie du spectacle. Vous y serez ?

— On m'y attend, en effet.

— Alors je vous conseille de rester parmi le public. Maintenant que je vous connais, je détesterais vous perdre.

Voyant le tour dangereux que prenait la conversation, Hannah changea de sujet.

— Puis-je savoir pourquoi vous haïssez la famille royale ? Vous n'êtes plus en prison. Et, ajouta-t-elle en jetant un regard faussement admiratif autour d'elle, il semblerait que vous n'ayez plus rien à désirer.

Pour la première fois, elle crut noter chez lui une soudaine émotion.

— Toutes les dettes doivent être honorées. Les intérêts de dix ans de prison sont élevés. Me comprenez-vous ?

— Parfaitement.

Et en le regardant, elle eut la conviction que rien ne l'arrêterait pour atteindre son but.

Il resta un long moment silencieux, puis demanda soudain :

— A votre avis, si un homme désire en détruire un autre, quelle est la meilleure méthode pour parvenir à ses fins ?

— La plus simple est de le tuer ?

Deboque sourit, et Hannah comprit qu'elle venait enfin de rencontrer le diable...

— Je ne suis pas un homme simple. Et la mort est un moyen trop radical. Même une mort lente. Pour détruire un homme, il faut plus qu'une balle dans la tête.

Il parlait d'Armand, naturellement. Ce n'était pas le moment de lui demander son plan dans le détail, sous peine d'éveiller sa méfiance. Hannah posa son verre sur la table et essaya de raisonner comme lui :

— Pour détruire vraiment quelqu'un, vous lui prenez ce à quoi il tient le plus au monde. C'est cela ?

Elle sentit sa gorge se serrer, douloureusement.

— Ses enfants ? ajouta-t-elle dans un souffle.

— Vous êtes aussi intelligente que belle. Pour faire souffrir un homme, pour détruire son âme, il faut le priver de ce qui lui est cher : ses enfants et petits-enfants disparus, son pays dans le chaos ; cet homme-là ne sera bientôt plus que l'ombre de lui-même.

— Tous ses enfants, monsieur ?

Elle pensait à la petite Marissa, si charmante et si douce, à Dorian, cet adorable démon. Elle eut peur que l'angoisse soudaine qui l'étreignait puisse se lire dans ses yeux, et se mit à fixer obstinément sa main qui tremblait. Quand elle crut avoir recouvré son contrôle, elle leva de nouveau les yeux.

— Vraiment tous ?

Il souriait et, sous la lumière du lustre, il était encore plus effrayant qu'un spectre.

— Ce ne sera pas facile, acheva-t-elle d'une voix mal assurée.

— Rien de ce qui a de la valeur n'est facile, ma chère. Mais comme vous l'avez dit, rien n'est impossible à une femme telle que vous. Surtout quand elle est déjà dans la place et s'est assurée de la confiance de tous.

— Vous me chargez là d'une lourde mission. Surtout si l'on considère mon rang modeste dans votre organisation.

— On peut y remédier... Dumont doit se... retirer. Je veillerai personnellement à son remplacement.

Elle affronta tranquillement son regard tandis qu'il posait une main froide sur les siennes.

— Il me faut une garantie, monsieur.

— Vous avez ma parole.

Avec un petit signe de tête, il se leva et pressa un bouton sur son bureau. Une seconde plus tard, Ricardo passait sa tête dans l'entrebâillement de la porte.

— Lady Hannah remplace Dumont à compter d'aujourd'hui. Prends les mesures nécessaires, s'il te plaît. Discrètement.

— Bien sûr.

Hannah attendit que la porte fut complètement refermée. Ils venaient de décider de la vie d'un homme...

— Un jour viendra où vous ordonnerez mon remplacement avec la même désinvolture.

— Pas si vous continuez à me plaire...

Il leva une main jusqu'à ses lèvres et y déposa un baiser.

— Je dois vous dire, monsieur, que je déteste tuer les enfants.

Elle sentit l'étau de ses doigts se resserrer, mais ne cilla pas.

— Je crois qu'il me faudra au moins cinq millions de dollars pour vaincre cette réticence, acheva-t-elle tranquillement tout en soutenant son regard.

— Alors, c'est l'argent qui vous intéresse ?

— Il ne m'intéresse pas. Il me plaît. Et j'aime ce qui me plaît.

— Eh bien, vous avez deux semaines pour me plaire, lady Hannah. Après, nous concluerons notre petit marché. Et maintenant, pour preuve de votre bonne foi, vous allez m'exposer ce que vous n'avez pas écrit dans les notes que j'ai là...

Hannah s'approcha de son bureau en espérant que le scénario de ses mensonges se révélerait suffisamment convaincant...

Une heure plus tard, Hannah repartait, épuisée. Jamais, depuis dix ans, elle n'avait eu à accomplir une mission aussi dangereuse et écœurante. Tout en franchissant lentement les grilles du palais, elle rêvait d'un long bain brûlant pour tenter de se détendre, d'oublier... Reeve l'attendait au détour d'une allée, à l'ombre d'un arbre. Elle s'arrêta pour le laisser monter à côté d'elle.

— Vous ne deviez pas rester hors de contact plus d'une heure.

— Je voulais rencontrer Deboque.

— Et vous avez réussi ?

Elle ouvrit légèrement la vitre.

— Je l'ai rencontré sur un yacht, l'*Invincible,* ancré à cinq milles environ au nord-ouest. Il y a au moins six gardes à bord, plus une femme. Il a l'information que nous souhaitions lui donner. Je remplace son second.

Reeve leva un sourcil étonné.

— Vous avez dû l'impressionner !

Malgré son dégoût, Hannah répondit simplement :

— J'étais là pour ça. Il a prévu quelque chose pour la première de la pièce d'Eve. Je ne crois pas que ce soit directement contre la famille royale. Simplement un petit... divertissement, comme il dit.

— Vous a-t-il dit où il interviendrait ? articula Reeve avec difficulté.

— Dans le palais, je crois. Nous avons deux semaines devant nous. C'est le temps qu'il m'a donné pour éliminer l'un après l'autre tous les membres de votre famille.

Elle se tourna vers lui.

— Il veut vous tuer tous. Excepté Armand. Il veut tuer l'âme et le cœur d'Armand, et laisser Cordina sans héritier. Et il le veut d'autant plus âprement qu'il agit par pure vengeance...

— Je vous crois, dit Reeve d'une voix blanche.

— Nous avons deux semaines pour l'arrêter, ou pour le convaincre que j'ai fait ce qu'il m'a demandé.

Hannah sortit lentement de la voiture et, voyant Reeve debout de l'autre côté, très pâle dans la lumière de la lune, elle conclut :

— C'est moi qui lui réglerai son compte. Je sais que ce n'est pas professionnel, mais si je trouve le moyen, je m'en occuperai personnellement.

Reeve la regarda monter les marches sans rien dire. Il s'était lui aussi promis la même chose...

8.

Bennett l'attendait déjà dans le hall. Même à distance, elle sentait son impatience. Son impatience, mais aussi son inquiétude...

— Vous voilà enfin !

Instinctivement, il saisit la main d'Hannah tandis qu'elle descendait la dernière marche.

— Vous savez que vous n'êtes pas obligée de venir, Hannah. Personnellement, je préférerais que vous restiez chez vous.

— Vous voilà comme Eve, remarqua-t-elle d'un ton léger. Je veux être là. Une vague menace n'est pas suffisante pour me faire manquer une soirée au théâtre.

— Dans ce cas, je vous demande de rester près de moi.

— Eve et Alexander seront bientôt prêts, dit-elle en repoussant doucement le bras qui la retenait. Ils m'ont demandé de les attendre.

— Pour notre sécurité à tous, il est préférable de ne pas rester groupés. Vous monterez avec moi. Père rejoindra Eve et Alexander.

Elle sortit avec lui dans la nuit, serrant fermement contre son cœur son sac dans lequel elle avait glissé son revolver...

Le théâtre était plein. Bien avant le lever de rideau, tous les sièges étaient occupés, et le brouhaha des conversations montait vers la loge royale. Quand les Bisset firent leur entrée, un concert d'applaudissements retentit. A moitié dissimulée par les membres de la famille royale, Hannah étudiait les visages levés vers eux.

Si Deboque avait été là, elle l'aurait repéré.

— Le Centre a été fouillé de fond en comble à deux reprises, murmura Reeve à son oreille. On n'a rien remarqué d'anormal.

Elle répondit par un petit signe de tête et gagna son siège tandis que le rideau se levait...

Il ne leur restait plus qu'à attendre. Et à observer...

Quand les lumières se rallumèrent pour l'entracte, Hannah entendit Eve pousser un soupir de soulagement. Une fausse alarme ? Non. Hannah préférait le laisser croire à Eve, mais elle sentait très nettement la tension monter en elle. Signe de danger...

— Voulez-vous boire quelque chose ? demanda Bennett.

Elle se tourna vers lui, sur le point de refuser. Pour des raisons très personnelles, elle aussi préférait ne pas s'éloigner de lui.

— Oui, s'entendit-elle répondre. J'aimerais quelque chose de frais.

Dès qu'il eut franchi la porte battante de la loge, Hannah se pencha vers Reeve.

— Je vais faire un petit tour d'inspection.

— Si vous voulez. Je reste là. J'ai comme un pressentiment...

— Moi aussi. Deboque m'a conseillé de rester dans le public. Alors j'ai envie de voir ce qui se passe dans les coulisses.

Il voulut s'y opposer, mais Gabriella posa la main sur le bras de son mari et se pencha vers lui pour lui parler. C'était plus de temps qu'il n'en fallait à Hannah pour se glisser par la porte entrouverte. Elle s'attarda dans les toilettes des dames jusqu'à ce qu'elle fût certaine que personne ne la suivait. Puis, avec l'aisance d'une longue expérience, elle se faufila dans un escalier de service...

Quand elle arriva dans les coulisses, c'était le moment des changements de costumes, et une certaine agitation régnait dans les couloirs. La plupart des acteurs étaient trop occupés pour lui prêter attention. Rien d'anormal. Et pourtant, la douleur persistait dans sa nuque...

La porte de la loge de Chantal était entrouverte. L'actrice aperçut Hannah, hésita une fraction de seconde, puis l'appela :

— Lady Hannah !

— Madame, Son Altesse n'a pas pu descendre vous dire sa satisfaction, mais elle est absolument enchantée par votre interprétation.

— Merci, répondit Chantal en posant le crayon dont elle se servait pour son maquillage. Et vous, que pensez-vous de cette pièce ?

— Elle est excellente.

Chantal s'approcha d'elle. L'outrance de son maquillage de scène accentuait le charme exotique de son regard.

— Vous savez, je suis quasiment une enfant de la balle. J'ai ça dans le sang depuis toujours. Et je sais très bien reconnaître une autre actrice quand j'en rencontre une.

Hannah soutint tranquillement son regard inquisiteur.

— C'est pourquoi, si je ne suis pas encore sûre d'éprouver de la sympathie à votre égard, je sais que vous ne m'inspirez pas confiance, poursuivit la jeune femme tout en ajustant la robe qu'elle devait porter dans la scène suivante. J'ai beaucoup d'affection pour Bennett. Une femme comme moi compte peu d'hommes parmi ses amis. Aussi sait-elle les reconnaître...

Il y avait quelque chose de solide et d'honnête dans la femme qui parlait. Hannah se découvrit autant qu'elle pouvait le faire.

— Bennett est un homme qui sort de l'ordinaire, et je le respecte infiniment. Moi aussi, j'éprouve de l'affection pour lui.

Chantal resta silencieuse un moment.

— Je ne sais pas pourquoi, mais je vous crois. Par contre, je ne vois pas bien pourquoi vous vous obstinez à jouer la comédie. Mais je suppose que vous avez vos raisons.

Un appel retentit :

— C'est à vous, Miss O'Hurley !

Chantal jeta un dernier coup d'œil dans son miroir, puis sortit de sa loge et s'éloigna rapidement...

Hannah laissa échapper un long soupir. Ainsi, elle n'était pas totalement à l'abri des soupçons... Elle reprit le couloir en sens inverse et commença à remonter l'escalier tandis que les applaudissements saluaient le lever de rideau. Puis, soudain, un bruit sourd, comme le son lointain d'une explosion... La lumière s'éteignit, et le théâtre fut brutalement plongé dans le noir... Des hurlements trouèrent le silence. Hannah imagina la foule essayant de se frayer un chemin vers la sortie.

Dans la loge royale, les gardes faisaient barrière de leur corps, les pistolets braqués, prêts à tirer.

— Restez où vous êtes, ordonna Reeve en rassurant Gabriella. Vous deux, venez avec moi.

Il sortit dans le hall, suivi de deux gardes.

— Il nous faudrait de la lumière, s'exclama-t-il en fouillant dans sa poche à la recherche d'un briquet. Et quelqu'un pour essayer de calmer la panique.

Au moment où la flamme jaillissait dans le noir, la voix de Chantal leur parvint, calme et apaisante, au travers des haut-parleurs.

— Mesdames, messieurs, veuillez rester à vos places, s'il vous plaît. Nous avons un petit problème électrique. Peut-être pourriez-vous en profiter pour faire connaissance avec votre voisin ?

— Bravo ! murmura Reeve en entendant quelques rires nerveux saluer son intervention. Allons voir le disjoncteur...

Hannah n'était toujours pas revenue. Bennett l'imagina, seule, perdue dans le noir. Sans l'ombre d'une hésitation, il se dirigea vers la porte de la loge.

La haute silhouette d'un garde s'interposa.

— Votre Altesse. Veuillez rester à votre place, s'il vous plaît.

— Laissez-moi passer.

— Bennett ! intervint la voix ferme de son père dans l'obscurité. Tout va se rétablir dans un moment. Assieds-toi.

— Hannah n'est pas là.

Il y eut un silence, puis son père reprit :

— Reeve s'en occupe.

Il y avait d'un côté le devoir, et, de l'autre, l'honneur, avec lequel il n'avait jamais transigé. Et puis, il y avait l'amour. Bennett poussa brutalement le garde et se précipita dans le hall...

Hannah se tenait immobile au milieu de l'escalier, le pistolet à la main. Elle ne bougeait pas, respirait à peine, se demandant si elle devait rejoindre les Bisset pour vérifier que tout allait bien, ou redescendre pour monter la garde.

Sa raison lui disait que les Bisset étaient bien gardés, et que son travail consistait à trouver l'origine de l'incident. Son cœur lui commandait de s'assurer que Bennett était sain et sauf. Elle commençait donc à remonter les marches quand elle entendit une porte se refermer doucement, à l'étage inférieur...

140

Le doigt sur la détente, elle commença à redescendre, et vit la lueur de la torche avant d'entendre le bruit des pas. Elle se tapit dans l'ombre et attendit...

Elle reconnut tout de suite l'homme qu'elle avait rencontré au musée. Il portait maintenant un uniforme d'employé de service et portait une boîte à outils. Qui aurait pu le soupçonner ? Sans bruit, mais rapidement, Hannah le rejoignit et posa le canon de son revolver dans le flanc du bandit.

— Ne bougez pas, dit-elle à mi-voix. Je suis désolée de vous accueillir de cette manière, mais vous auriez pu ne pas me reconnaître immédiatement.

— Vous n'avez pas d'intervention prévue, ce soir ! protesta-t-il.

Hannah baissa son arme, mais la garda bien en main.

— J'avais envie de me rendre compte moi-même de ce qui se passait. Beau travail, le félicita-t-elle. Il y a quelque chose d'autre de prévu pour ce soir ?

Son intuition lui soufflait que l'homme était prêt à tuer. Mais était-il armé ? Elle devait agir vite, sous peine d'éveiller ses soupçons...

— Seulement si l'occasion se présente, répliqua-t-il d'une voix brève. Vous voudrez bien m'excuser.

— Certainement.

Elle n'avait plus qu'un désir : l'éloigner. Le théâtre était plein à craquer, la famille royale présente au complet. Ce n'était pas le moment de risquer une confrontation.

— Puis-je vous aider à faire une sortie discrète ?

— Tout est déjà prévu.

— Très bien. Dites à votre patron que je serai sans doute moins spectaculaire, mais tout aussi efficace.

Elle allait tourner les talons quand elle entendit la porte du palier supérieur s'ouvrir.

— Hannah ?

C'était Bennett. Elle sentit son sang se figer dans ses veines, et plaqua son bras sur le torse de l'homme qui était prêt à s'élancer.

— Bennett ! appela-t-elle en remontant les marches.

Elle n'avait pas besoin de feindre la peur qui vibrait dans sa voix. Bennett n'était qu'une ombre dans l'entre-bâillement de la porte. Elle se précipita et l'entoura de ses bras, l'empêchant d'aller plus loin.

— Que faites-vous ici ? commença-t-il.

— Je me suis perdue quand les lumières se sont éteintes.

— Pour l'amour du ciel, Hannah, comment avez-vous fait pour descendre jusqu'ici ?

— Je... je ne sais pas. Je vous en prie, remontons.

— Vous auriez pu vous blesser dans l'obscurité !

Il fit un geste pour se libérer, mais elle le serra plus fort contre elle.

— Embrassez-moi, chuchota-t-elle.

Presque amusé, maintenant qu'il l'avait retrouvée saine et sauve, Bennett lui releva doucement le menton. Dans la pénombre, il ne pouvait distinguer la délicate pâleur de son visage, et ses yeux brillant d'émotion.

— Si vous insistez...

142

Au moment où il posait sa bouche sur la sienne, elle saisit la poignée de la porte, prête à le pousser doucement de l'autre côté.

Les doigts de Bennett caressaient son visage. Ses lèvres réconfortantes ne demandaient rien en retour. Les doigts d'Hannah se crispèrent sur la poignée, autant par peur pour lui qu'en réponse à son étreinte. Elle sentit son cœur se serrer dans sa poitrine. Elle l'aimait. Elle avait beau se répéter qu'elle n'en avait pas le droit, elle savait maintenant qu'elle l'aimait. Elle aurait voulu que ce baiser soit réellement la manifestation de sa tendresse. Mais en réalité c'était le seul moyen pour donner à l'homme le temps de s'échapper.

Alors, Bennett serait sauvé. Pendant quelques secondes, elle mit tout son cœur dans son baiser...

Brusquement, les lumières se rallumèrent.

Tout se passa très vite, alors...

A son sursaut de surprise, Hannah comprit que l'homme de Deboque n'était pas encore parti. Il attendait, tapi dans l'ombre, l'occasion à laquelle il avait fait allusion. L'occasion pour tuer...

Sans une hésitation, elle poussa violemment Bennett par la porte entrouverte. L'homme avait déjà l'arme au poing, mais elle fut plus rapide... Bennett avait eu le temps de voir l'homme brandir son arme. Quand il repoussa brutalement la porte pour protéger Hannah de son corps, le coup était déjà parti, et il vit le corps de l'homme s'effondrer au pied des marches. Puis il aperçut le revolver dans la main d'Hannah. Son visage devint de marbre. Et quand il parla, sa voix était neutre et froide.

— Vous pourriez peut-être m'expliquer quel jeu vous jouez, et pour qui ?

Sous le choc, Hannah était devenue livide. Pour la première fois, elle s'était servie de son arme, et l'homme était sans doute mortellement atteint. Mais Bennett, lui, était vivant...

— Je vous expliquerai, mais ce n'est pas le moment.

Elle entendit un bruit de course dans le couloir et acheva dans un souffle :

— Je vous en prie... Faites-moi confiance !

— Ce n'est pas précisément le meilleur moment pour une telle requête, rétorqua Bennett en s'approchant du corps.

La jeune femme s'agrippa nerveusement à son bras.

— Bennett, je vous en prie ! Je vous dirai tout ce que j'ai le droit de vous dire après. Vous pourrez vérifier auprès de Reeve et de votre père.

Elle le sentit se raidir.

— Mon père ?

— S'il vous plaît, pour l'amour de votre famille, de votre pays, faites ce que je vous dirai !

Elle lui mit le pistolet entre les mains au moment même où Reeve surgissait, suivi de cinq gardes du corps.

— Cet homme a essayé de tuer le prince, murmura-t-elle d'une voix tremblante. Si Bennett n'avait pas réagi aussitôt, il...

Elle enfouit son visage entre ses mains.

Bennett ne bougea pas. Il ne dit rien pour la contredire, mais elle ne sentait plus le réconfort dont elle avait tout à l'heure éprouvé le bienfait entre ses bras. Reeve se pencha sur le corps, puis regarda Bennett.

— C'est heureux que vous ayez été rapide et efficace. Cet homme est l'un des meilleurs tueurs de Deboque. Nous nous occuperons de lui plus tard. Si vous voulez bien regagner votre loge, ajouta-t-il en faisant signe à deux gardes de les accompagner. Nous ne dirons rien au reste de la famille, ce soir. La police va arriver...

Bennett repoussa les gardes d'un geste hautain. C'était la première fois qu'Hannah le voyait faire montre d'une arrogance toute princière.

— Je veux vous parler. Seul.

Il en avait trop vu, Reeve en était bien conscient.

— Entendu. Allons dans le bureau d'Eve, si vous le voulez bien. Mais auparavant, accordez-moi encore cinq minutes pour informer la police.

— J'aimerais rentrer au palais, murmura Hannah d'une voix lasse. Je ne me sens pas très bien.

— Faites venir un chauffeur et une voiture, ordonna Reeve en se tournant vers les gardes.

Il monta rejoindre Hannah en haut des marches et lui passa un bras autour des épaules.

— Je vous accompagne.

Dès qu'ils furent seuls dans le hall, son ton redevint professionnel.

— Que s'est-il passé ?

Hannah essaya de raffermir sa voix avant de lui faire un bref résumé des événements.

— Le tout n'a pas dû prendre plus de cinq minutes...

— Vous avez joué de malchance, mais je crois que Bennett acceptera de jouer le rôle que vous lui avez imposé. Il a une réputation d'excellent tireur. Tout ce qu'il me reste à faire, c'est de le calmer. Nous aviserons demain matin ce que vous raconterez à Deboque.

— Il ne me le pardonnera jamais.

Reeve était assez intuitif pour savoir qu'elle ne parlait pas de Deboque.

— Bennett est un homme juste et généreux. Il sera furieux qu'on ne lui ait rien dit, mais il ne vous blâmera pas pour autant.

Comme elle aurait voulu le croire !

Elle était assise près de la fenêtre, et regardait le jardin. Cela faisait plus de deux heures qu'elle était là, en train d'admirer le clair de lune. Le palais était tranquille. Sa chambre était trop éloignée pour qu'Hannah sût si la famille Bisset était ou non rentrée...

Elle imaginait trop bien les sentiments de Bennett quand il écouterait les explications de Reeve. Et elle acceptait par avance le blâme dont il l'accablerait sans doute... Mais elle n'avait pas l'intention de s'excuser. Au fond, elle n'avait accompli que son devoir. Bien sûr, elle l'aimait. Mais, désormais, elle n'avait plus aucune chance qu'il la croit. Elle serait morte pour lui sans aucune hésitation ce soir, pas seulement par devoir, ni pour l'honneur, mais par amour. Jamais il ne croirait une chose pareille. Et c'était peut-être préférable...

Elle avait toujours une mission à remplir, et un rendez-vous vieux de deux ans à ne pas manquer.

Hannah laissa reposer sa tête sur l'embrasure de la fenêtre, souhaitant soudain de toute son âme se retrouver brusquement dans l'hiver brumeux de son Angleterre natale.

Il ne frappa pas. Le temps des manières et de la courtoisie était révolu. Quand il entra, il vit ses longs cheveux blonds dénoués qui retombaient en vagues souples sur la dentelle de son déshabillé blanc. Mais Bennett ne se laissa pas attendrir par son charme. Il ne faisait plus confiance à ses yeux, ni à son cœur.

Quand il se retourna après avoir refermé la porte, elle se tenait debout devant lui, très droite.

— Vous avez parlé avec Reeve ?

— Oui.

— Et avec votre père ?

Il leva un sourcil interrogateur. Bien qu'il ne soit plus en costume de soirée, il n'avait rien perdu de sa majesté, et il savait s'en servir si besoin était.

— Nous parlerons demain. Mais je ne suis pas sûr que cela vous regarde.

— Seulement dans la mesure où cela peut affecter mon rôle dans cette maison.

— Quoi que vous puissiez en penser, je ne suis pas stupide. Votre rôle ici est inchangé.

Il prit un petit pistolet dans sa poche et s'approcha d'elle.

— Ceci vous appartient, je crois.

Non, il ne lui pardonnerait jamais. Elle avait cru qu'elle pourrait l'accepter, et elle se trompait. Aussi froide que lui, elle prit l'arme et alla la ranger dans le tiroir de sa table de nuit.

— Merci.

— Vous dégainez très bien, lady Hannah.

— J'ai été très bien entraînée, en effet.

Il lui prit le menton, mais le geste était sans douceur.

— En effet. Et quels sont vos autres talents cachés ? Tromper les gens est certes le domaine où vous excellez. Combien de femmes pouvez-vous être ?

— Autant que mon travail le requiert. Si vous voulez bien m'excuser, je suis très lasse.

De l'autre main, il releva les cheveux qui lui tombaient sur le visage.

— Oh, non. Vous ne vous en tirerez pas aussi facilement ! Avec moi, la comédie est finie, lady Hannah. Maintenant, nous allons jouer cartes sur table.

Elle sentit son estomac se nouer. Non par peur de ce qu'il allait dire, mais par crainte qu'il continue à la regarder comme il le faisait en ce moment.

— Je ne vois pas ce que je pourrais ajouter à ce que vous a dit Reeve. Cela fait deux ans que nous préparons cette opération. L'ISS avait besoin d'un agent féminin et...

— Je sais. Je suppose que je devrais vous manifester de la gratitude pour tout ce que vous faites.

Il l'avait enlacée par la taille, mais l'étreinte n'avait rien de tendre, ni d'amical.

— Je ne demande pas de la gratitude, mais un peu de coopération.

— Dans ce cas, vous auriez pu le dire plus tôt.

— J'avais des ordres, Bennett, répliqua-t-elle en levant fièrement la tête. Vous savez aussi bien que moi ce qu'est le devoir.

— Oui, mais je sais aussi ce qu'est l'honneur. Vous vous êtes jouée de moi, dit-il d'une voix glaciale. Vous avez utilisé les sentiments que j'éprouvais à votre égard.

— Vous n'étiez pas censé éprouver ce genre de sentiments. Et j'ai tout fait pour vous décourager.

— Vous saviez que je tenais à vous. Que je vous voulais.

— Moi, je ne vous voulais pas.

— Vous mentez, une fois de plus.

— Non, protesta-t-elle en se débattant. Mais je suppose que dès qu'une femme se refuse à vous, cela devient pour vous un défi et un jeu. Et vous n'avez pas l'habitude que l'on vous résiste !

Elle sentit son étreinte se resserrer jusqu'à lui faire presque mal. Il était touché. C'était le moment d'aller jusqu'au bout.

— Et maintenant, ce qui vous contrarie, ce n'est pas que je vous aie refusé mes faveurs, mais le fait d'avoir reçu une blessure d'amour-propre.

Le reste de ses paroles fut étouffé par le poids de son corps tandis qu'ils tombaient tous les deux sur le lit. Avant même qu'elle ait eu le temps de réagir, il l'avait clouée sur l'édredon...

— Mon amour-propre ? s'exclama-t-il, furieux. Il n'y a donc que les ragots des journalistes qui vous intéressent ? Dans ce cas, je ne vous décevrai pas, conclut-il d'un air menaçant.

Elle réussit presque à se dégager, mais il pesa une nouvelle fois de tout son poids sur elle, une main sur sa gorge.

— C'est inutile, murmura-t-elle. Je vous mépriserai, si vous...

Elle s'interrompit, consciente qu'il s'estimait maintenant au-dessus des lois, au-delà même du bien et du mal.

— J'ai cru un moment que vous étiez un être fragile et délicat. Et cette femme-là ne m'inspirait que tendresse et admiration. Pour elle, j'aurais su attendre, j'aurais su cultiver mes sentiments. Mais maintenant que je vous connais, il me semble qu'entre nous, nous pouvons nous dispenser de telles délicatesses, n'est-ce pas ?

— Bennett, je vous en prie.

Il était déjà trop tard, mais elle s'en serait voulu de ne pas lutter jusqu'au bout pour éviter que l'irréparable ne se produise.

— Et pourquoi pas ? répliqua-t-il avec violence. N'est-ce pas une nuit de mensonge et de folie ?

Alors, elle se prépara à la bataille.

— Vous ne m'aurez pas, même par la force.

— Peu importe comment. Je sais que vous serez à moi...

150

9.

Il n'y avait aucune tendresse dans ses baisers. Il ne voulait pas l'aimer, mais la punir. Et lui montrer qui était le plus fort...

Pourtant, le baiser n'était pas cruel. Sa bouche était chaude sur la sienne, plus insistante que violente. Et sa main sur sa gorge était moins une menace qu'un simple signe de domination.

Hannah resta immobile, attendant le moment où elle pourrait prendre l'offensive... Mais malgré elle, elle sentait son pouls s'accélérer.

Bennett le savait. Il faisait partie de ces hommes qui comprennent la passion et le désir. Il en avait usé depuis toujours, autant pour donner que pour recevoir. Maintenant, il allait s'en servir pour blesser comme il venait d'être blessé...

C'est du moins ce dont Bennett essayait de se persuader.

La jeune femme était nue sous son peignoir. Il le savait avant même d'avoir dénudé son épaule. Il sentit la force et la tension de ses muscles, mais fut sensible aussi à la douceur de sa peau. Et il ne pouvait s'empêcher de frémir au contact du jeune corps vibrant de révolte.

Elle eut un geste pour se dégager, et son mince vêtement découvrit sa gorge nue. Son corps allait la trahir... Déjà, le seul contact de ses mains sur sa peau nue avait éveillé en elle le brasier du désir. Leur lutte les fit rouler sur le lit, enlacés... Et Hannah se retrouva prisonnière du corps masculin de Bennett...

Elle le regarda, à bout de souffle, vaincue, mais bien loin de se rendre. Un rayon de lune glissait sur son visage, accentuant encore la pâleur laiteuse de sa peau. Dans la pénombre, ses yeux paraissaient plus grands et plus sombres. La peur avait fait place au mépris et à la réprobation.

— Vous ne pouvez savoir à quel point je vous mépriserai, murmura-t-elle.

Ces mots l'atteignirent, mais il se ressaisit. Il voulait la punir et réussirait. Il se pencha de nouveau sur elle, mais elle détourna la tête. Piètre défense... La bouche du prince glissa doucement le long de son visage et se posa sur son cou. Un gémissement s'échappa des lèvres de la jeune femme, et Bennett sentit s'accélérer les battements de son cœur.

Il voulait en même temps l'aimer et la haïr, la réconforter et la punir. Du bout des lèvres, il s'attardait sur sa gorge frémissante dont le parfum semblait s'exalter sous sa caresse. Elle essaya de nouveau de se dégager, mais le mouvement ne fit que les exciter tous deux davantage.

Soudain, le corps de la jeune femme devint parfaitement immobile. Puis elle commença à trembler...

Elle n'était plus capable de réfléchir, de se demander pourquoi et comment ils en étaient arrivés là. Il la voulait. Et elle le voulait. Le reste n'avait plus d'importance...

Quand la bouche de Bennett revint se poser sur la sienne, elle l'attendait. Il ne trouva ni soumission ni peur, mais la passion qu'elle refoulait en elle depuis tant d'années.

Soudés l'un à l'autre, ils roulèrent sur le lit, mais la lutte était finie. D'un mouvement impétueux, Hannah attira Bennett contre elle. La jeune femme se redressa et commença à le dévêtir avec des gestes impatients, arrachant presque ses vêtements avant de les jeter sur le sol. Puis son rire éclata, mélodieux, comme le soir où il l'avait rencontrée dans les jardins. Mais maintenant, on pouvait presque y discerner une nuance de triomphe.

Bennett eut l'impression qu'un volcan entrait en éruption au plus profond de lui. Il avait toujours été un amant tendre, attentionné. Mais jamais il n'avait senti cette flamme de désir pur, bien au-delà du simple jeu de l'amour.

Quand il plongea les mains dans les cheveux d'Hannah pour la serrer contre lui, tout désir de vengeance s'était évanoui. Il voulait l'aimer, la faire sienne, attiser encore ce feu qui le brûlait... Hannah sentit la panique la gagner, d'autant plus forte qu'elle se mêlait à une étrange fièvre qui la faisait trembler tout entière. D'un violent coup de reins, elle essaya de se dégager, mais il la retint et, avec une rapidité qui lui coupa le souffle, la hissa sur lui. Son corps se contracta, comme pour une ultime tentative de fuite, puis une vague de plaisir la submergea, et elle cria son nom.

Désormais, elle était en son pouvoir. Un bref instant, ils restèrent immobiles, comme suspendus ensemble dans un espace infini. Puis les flammes du plaisir se rallumèrent...

Hannah s'accrocha à lui frénétiquement. Elle n'avait eu qu'un avant-goût de ce qu'il pouvait lui donner. Maintenant, elle voulait tout. Tandis qu'elle achevait de le déshabiller, il commença à caresser lentement, du bout de ses doigts frémissants, la peau douce de ses cuisses. Il vit ses yeux s'élargir sous l'intensité du plaisir, et soudain, tout son corps se tendre tandis qu'elle laissait échapper une plainte rauque. Puis, au moment où elle se détendait entre ses bras, il posa sa bouche chaude sur la sienne, prêt pour un nouveau voyage.

Les yeux de Bennett brillaient comme ceux d'un tigre prêt à bondir. Elle se rappela son expression tandis qu'ils dévalaient la falaise sur leur monture, son air orgueilleux et fier. Elle frissonna, prête à se débattre de nouveau, mais son corps la trahit. Les yeux grands ouverts, elle l'attira contre lui...

Elle s'offrait tout entière. Et il savait la recevoir.

Ils s'aimèrent presque violemment. Et, soudés l'un à l'autre, ils franchirent ensemble les bornes du monde sensible, perdus dans l'extase d'un plaisir infini.

Le silence semblait devoir durer toujours. Hannah n'avait pas encore recouvré ses esprits, mais elle devinait que ce qui venait de se passer la changerait à tout jamais. Il avait brisé la carapace polie et froide derrière laquelle elle se protégeait depuis des années, mettant à jour la vraie

Hannah, Hannah la passionnée. Et elle ne pouvait pas lui dire qu'enfin elle aimait, et qu'elle n'aurait pas assez de toute sa vie pour regretter d'avoir dû y renoncer.

Bennett aurait voulu la prendre dans ses bras et la serrer contre lui. Mais il ne pourrait plus jamais le faire. Il avait pris avec rage ce qu'il rêvait d'obtenir un jour avec tendresse. Maintenant que la colère s'était évanouie, restait la culpabilité...

La femme dont il était tombé amoureux n'existait pas. Plus qu'une illusion, c'était le fruit d'un mensonge. Pourtant, il l'aimait... L'avait-il blessée ? Il aurait voulu le lui demander, mais elle semblait inaccessible, comme réfugiée au plus profond d'elle-même.

Il s'habilla en silence tandis qu'elle restait immobile sur le lit. Comment pouvait-on aimer une femme dont on ne connaissait rien, se demanda-t-il, perplexe, en se passant la main dans les cheveux. Comment pouvait-il s'obstiner à aimer une femme dont il savait pertinemment qu'elle n'existait pas ?

— Eh bien, il semblerait que nous nous soyons simplement servis l'un de l'autre, murmura-t-il enfin. Nous sommes quittes, maintenant.

Elle ouvrit les yeux.

— Vous croyez ? dit-elle simplement.

Il fit un pas dans sa direction, puis, boutonnant sa chemise à la hâte, ouvrit la porte et disparut.

Hannah écouta le silence jusqu'à l'aube...

*
* *

155

Elle était assise dans l'élégant salon de la villa que Deboque avait louée sur la côte. Le jeu serait très serré. Bien que, cette fois, le rendez-vous eût lieu à terre, et en dépit des hommes que Reeve avait prévus pour la protéger, Hannah savait qu'elle était aussi seule que sur le yacht. Si Deboque apprenait le rôle exact qu'elle avait joué lors des événements de la veille, elle mourrait avant même d'avoir eu le temps de s'expliquer...

Deboque entra dans le salon, et une main invisible referma la porte derrière lui.

— Lady Hannah, comme je suis heureux de vous revoir !

— Le message que j'ai reçu ce matin ne me laissait guère le choix ! dit-elle, très à l'aise.

— Ah, je vous ai froissé, s'exclama-t-il en se précipitant vers elle pour lui baiser la main. Toutes mes excuses. Ce qui s'est passé hier soir m'a quelque peu inquiété.

— Moi aussi, répliqua Hannah en feignant un air contrarié. Je commence à me demander si j'ai fait le bon choix.

Deboque s'assit à côté d'elle puis, prenant son temps, choisit une cigarette dans le petit coffret de cristal posé devant lui. Aujourd'hui, il portait des émeraudes.

— C'est-à-dire ?

— Il y a quelques mois déjà, je me suis trouvée dans l'obligation de... supprimer l'un de vos employés.

Elle s'interrompit un instant avant de poursuivre :

— La nuit dernière, un autre a failli ruiner tout mon travail auprès de la famille Bisset.

— Dois-je vous rappeler, mademoiselle, qu'il vous avait été conseillé de rester à l'écart, ce soir-là ?

— Dois-je vous rappeler, monsieur, que je ne suis pas arrivée à la position que j'occupe sans avoir appris à prendre quelques précautions élémentaires ?

— Quelles précautions ?

— Si je n'avais pas suivi Bennett, vous et moi serions probablement dans une situation beaucoup moins confortable, aujourd'hui. Bennett s'ennuyait pendant la représentation et avait décidé de passer le deuxième acte dans la loge de l'actrice américaine. Comme je me doutais que vous aviez prévu quelque chose, j'ai pensé qu'il était préférable que je ne le perde pas de vue. Si je ne l'avais pas fait, monsieur, le prince serait mort, à l'heure qu'il est.

— Et vous attendez que je vous manifeste ma gratitude ?

— Il serait mort, répéta impertubablement Hannah, et votre homme serait en prison. En train de subir l'interrogatoire des services spéciaux. Me permettez-vous de vous servir ? demanda-t-elle en désignant la cafetière d'argent.

— MacGee était déjà alerté, poursuivit-elle. C'est moi qui l'ai repéré. Il se promenait tranquillement avec une lampe torche. J'ai fait en sorte de distraire Bennett en jouant les amoureuses, mais l'idiot n'a pas saisi l'occasion pour s'enfuir. Les lumières se sont rallumées. Bennett l'a vu, puis a vu son arme. Vous serez peut-être flatté d'apprendre que, depuis votre sortie de prison, il porte toujours une arme sur lui. Il s'en est servi, et, dans mon intérêt personnel, je suis ravie qu'il n'ait pas raté son coup. Un mort ne peut pas donner de nom.

Parfaitement maîtresse d'elle-même, Hannah se leva et conclut :

— Maintenant, j'aimerais savoir si vous aviez donné l'ordre à cet homme de tuer l'un des Bisset. Me faites-vous confiance pour remplir moi-même la mission que vous m'avez confiée, oui ou non ?

Deboque éteignit lentement sa cigarette avant de répondre :

— Je vous en prie, restez calme. L'homme dont vous parlez n'avait pas reçu de consignes particulières. Il était simplement libre de prendre quelques initiatives, c'est tout. Vous avez toute ma confiance, cela va sans dire.

— Nous sommes donc bien d'accord. Je m'occupe des Bisset, et, en échange, vous me promettez cinq millions de dollars ?

Il eut un sourire généreux.

— Nous avons conclu que si votre mission était convenablement remplie, vous recevriez une petite compensation.

Hannah saisit son sac et fit mine de se lever.

— Je n'ai pas l'habitude de jouer au chat et à la souris. Si vous ne jouez pas franc-jeu avec moi, j'abandonne immédiatement.

Et, joignant le geste à la parole, elle se leva et commença à se diriger vers la porte.

— Asseyez-vous !

Le ton était cinglant.

— Vous vous égarez ! Personne ne sort d'ici sans y avoir été invité !

Elle savait qu'il y avait des hommes de Deboque derrière la porte, prêts à l'arrêter, mais elle décida de payer d'audace et continua son chemin.

— Je crois que je ferais bien de me trouver un autre employeur. Nous ne sommes pas faits pour nous entendre.

— Vous savez très bien qu'il est trop tard. Venez vous rasseoir.

Cette fois, elle obéit. Elle laissa voir un peu d'impatience, juste assez pour lui montrer qu'elle savait aussi se contrôler.

— Très bien.

— Dites-moi comment étaient les Bisset, ce matin.

— Très dignes, naturellement, répondit-elle en feignant l'amusement. Bennett est content de lui. Armand se fait du souci. Eve s'est confinée dans sa chambre pour la journée, et Gabriella reste à son côté. MacGee s'est enfermé dans son bureau avec Malori. Vous le connaissez ?...

— Oui.

— Ils sont tous persuadés que l'explosif a été déposé pour faire diversion, le temps que l'assassin atteigne la loge royale.

— Logique, commenta Deboque.

C'était exactement ce qu'il avait escompté.

— Logique, mais trop simple, justement. Et vous, ma chère, quelle attitude avez-vous adoptée, après avoir assisté au meurtre ?

— Je me suis montrée choquée, naturellement, mais courageuse. Nous autres, Anglais, nous le sommes en toutes circonstances.

— C'est vrai. Au fait, ajouta-t-il avec un sourire, je dois vous féliciter pour votre résistance. On dirait que vous n'avez pas fermé l'œil de la nuit. Et vous êtes là, en train de bavarder tranquillement avec moi...

Hannah se raidit de tout son être. Il ne fallait surtout pas qu'elle pense à Bennett, surtout pas.

— J'ai bu assez de café pour passer une nuit blanche, en effet. En ce moment, je suis supposée faire une petite promenade pour me détendre.

Elle essaya de le distraire en le lançant sur un autre sujet.

— Au fait, vous savez que toute la famille royale sera de nouveau réunie pour le grand bal de Noël ?

— C'est la tradition.

— La princesse Gabriella va rester quelque temps au palais avec sa famille pour aider Eve. Les MacGee vont donc habiter la même aile qu'Eve et Alexander, avec tous les enfants.

— Très intéressant...

— Ce serait stupide de ne pas saisir l'occasion. Mais il faudra prévoir à l'avance les explosifs.

— Le jeune prince ne réside pas dans la même aile, objecta Deboque.

— Il sera fatalement touché en essayant de porter secours au reste de la famille. Ne vous inquiétez pas pour les détails. Contentez-vous de tenir prêts les cinq millions.

Elle se leva de nouveau, puis inclina la tête, comme si elle attendait sa permission pour se retirer. Deboque se leva aussi et à sa grande surprise, lui saisit les deux mains.

— Quand tout sera terminé, j'ai prévu de passer quelques semaines au soleil. J'ai besoin de naviguer, de partir très loin. Mais les vacances sont souvent très ennuyeuses quand on est seul...

Hannah sentit son estomac se nouer. Elle dut faire appel à toute son énergie pour rester impassible.

— J'aime beaucoup le soleil, répondit-elle en souriant. Mais il paraît que vous vous séparez des femmes avec autant de facilité que vous les attirez.

Il passa une main sur son cou. Ses doigts étaient légers, et la caresse presque tendre, mais elle ressentit de la répulsion.

— Quand elles m'ennuient, en effet. Les apparences ne m'intéressent pas. Je préfère l'intelligence et l'ambition. Je suis sûr que nous nous entendrions très bien.

Si jamais il essayait de l'embrasser, elle allait hurler. Elle préféra détourner légèrement la tête.

— Eh bien, nous verrons... Une fois que notre petit marché sera conclu.

L'étreinte se resserra brusquement autour de son cou, puis il la relâcha aussi soudainement.

— Vous êtes une femme très prudente, Hannah.

— Quand il s'agit de cinq millions, c'est évident. Maintenant si vous voulez bien m'excuser, il faut que je rentre, sinon je finirai par attirer l'attention.

— Bien sûr.

Elle alla jusqu'à la porte, puis se retourna.

— Il me faudrait le matériel pour... disons, la fin de la semaine.

— Vous pouvez compter sur un cadeau de Noël de votre tante de Brighton.

Avec un petit signe d'acquiescement, elle franchit la porte qui se referma doucement derrière elle.

Deboque regagna son fauteuil avec un petit sourire. Décidément, cette jeune femme lui plaisait de plus en plus. Dommage : elle allait devoir mourir...

10.

Ce fut en début d'après-midi que Bennett partit à la
recherche d'Hannah dans le palais. Il avait parlé avec son
père et lu tous les rapports concernant la jeune femme.
Certains étaient inquiétants, d'autres suscitaient l'admiration, mais aucun ne lui permettait d'être sûr de connaître
réellement la jeune femme...

La colère et l'inquiétude le rongeaient tandis qu'il errait
de pièce en pièce. Qu'avait-elle pu imaginer encore pour
protéger la famille royale, au risque de sa propre vie ?
Machinalement, ses pas le portèrent jusqu'à l'appartement
de la jeune femme. Il regarda autour de lui avec curiosité, cherchant un indice qui lui permettrait de résoudre
le mystère de la personnalité d'Hannah, femme aux mille
visages... Pensif, il se posta devant la fenêtre.

Soudain, il l'aperçut dans le jardin...

Hannah avait éprouvé le besoin de se retrouver seule.
Une heure lui suffirait pour faire le point et retrouver son
calme. Elle avait manœuvré aussi habilement que possible
avec Deboque. Si tout allait bien, le piège se refermerait
sur lui à la fin de la semaine prochaine. Elle aurait réussi

sa mission. Et un autre rapport favorable s'ajouterait dans son dossier. Tout cela aboutirait certainement à une promotion. Elle pouvait compter cette fois sur un poste de dirigeant. Mais pourquoi cette perspective la laissait-elle aussi indifférente ?

Sans doute avait-elle besoin de repos. Quelques semaines de vacances lui redonneraient certainement l'énergie et l'enthousiasme qui l'avaient toujours caractérisée. Pourquoi ne pas aller à New York ou à San Francisco ? Là, il était facile de passer inaperçu, de s'oublier...

A moins qu'elle ne retourne en Angleterre ? Elle pourrait revoir la Cornouailles, passer ses journées à se promener au bord de la mer ou à galoper sur les falaises. En Angleterre, elle ne pourrait pas s'oublier. Mais peut-être se retrouverait-elle ?

De toute façon, peu importait, pourvu qu'elle soit loin de Cordina. Et de Bennett...

Une glycine parfumée formait une tonnelle qui abritait un banc et une table de pierre. Elle s'assit et, fermant les yeux, essaya d'apaiser le tourbillon de ses pensées.

Qui était-elle ? Pour la première fois depuis des années, les circonstances l'obligeaient à se poser la question. Et il lui fallait bien admettre qu'elle ne connaissait pas la réponse. Elle était en partie cette jeune femme sérieuse qui n'avait pas de plus grand plaisir que la lecture d'un bon livre au coin du feu ou dans un jardin paisible. Mais l'autre moitié d'elle-même aimait les risques et se sentait parfaitement à l'aise dans une atmosphère de menace et de danger.

Cette étrange faculté de dédoublement lui avait été très utile, jusqu'à présent. Mais plus maintenant... Et tout cela, par la faute de Bennett. C'est lui qui la poussait à remettre en question ce qui lui semblait la partie la plus solide d'elle-même. Cette nuit, il n'avait pas pris que son corps. Il avait pris aussi son cœur et son âme. Simplement pour l'humilier. Pour lui donner une leçon. Et il avait réussi. Personne jusqu'à présent ne lui avait montré combien elle pouvait donner et combien elle aimait recevoir. Et personne ne l'avait laissée aussi vide, aussi seule.

Il ne saurait jamais à quel point il l'avait blessée. Jamais, se répéta-t-elle tandis que les larmes roulaient sur ses joues. Parce qu'il ne connaîtrait jamais la profondeur des sentiments qu'il avait fait naître.

Elle avait choisi sa voie depuis longtemps. Dans quelques jours, Bennett et sa famille seraient définitivement sains et saufs. Et elle serait partie.

Bennett la trouva là, assise sur le banc, en larmes. Il fut aussitôt assailli de sentiments divers : la confusion, l'amour, et la culpabilité.

En l'entendant se rapprocher, Hannah se leva d'un bond. Il lut sur son visage un mélange de surprise et d'indignation. Et il crut même un moment qu'elle allait s'échapper en courant. Mais elle lui fit face.

— Je croyais être seule, dit-elle froidement.

— Je suis désolé de vous avoir dérangée. Je crois qu'il est nécessaire que nous parlions.

Elle sécha ses larmes avec le mouchoir qu'il lui tendait.

— Vous devriez vous rasseoir.

— Non, merci.

Elle n'avait pas dû dormir de la nuit, constata-t-il en voyant les cernes qui marquaient ses yeux.

— J'ai parlé avec mon père, ce matin. Vous avez dû voir Deboque dans la matinée, n'est-ce pas ?

— Ce n'est pas à vous que je suis tenue de faire mon rapport, Votre Altesse.

Il pâlit de colère et serra les poings, mais réussit à parler calmement.

— Sans doute. Mais je suis maintenant parfaitement au courant de la situation. J'ai pris connaissance de votre dossier.

Lui restait-il encore un peu d'intimité ? S'appartenait-elle encore ?

— Parfait. Dans ce cas, je ne vois pas l'intérêt de répondre à vos questions. Vous savez sur moi tout ce qu'il est nécessaire que vous sachiez. J'espère que vous vous êtes bien amusé.

— Bon sang, Hannah, je ne l'ai pas lu pour m'amuser ! Il me semble que j'ai bien le droit d'être informé, moi aussi.

— Vous n'avez aucun droit en ce qui me concerne. Je ne suis ni votre domestique ni l'un de vos sujets.

— Vous êtes la femme avec laquelle j'ai fait l'amour cette nuit.

— Vous feriez mieux de l'oublier. N'approchez pas, ajouta-t-elle tandis qu'il faisait un pas vers elle. Vous ne me toucherez plus..., plus jamais !

— Très bien. Mais vous savez qu'il y a certaines choses qu'on ne peut jamais oublier.

— Si, quand ce sont des erreurs, rétorqua-t-elle. Je suis ici en tant qu'agent de l'ISS, et j'ai pour mission de vous protéger, vous et votre famille. J'entends mener à bien cette mission. Mais me laisser humilier par vous ne fait pas partie de mes devoirs.

Les larmes se mirent de nouveau à couler sur ses joues.

— Ne pouvez-vous pas me laisser tranquille ! Ce qui s'est passé cette nuit ne suffit-il pas à combler votre soif de vengeance ?

A ces mots, Bennett la saisit par le bras, la serrant violemment.

— Voilà tout ce que vous pensez ! Ma soif de vengeance ? Et vous, vous n'avez rien ressenti ? Pouvez-vous me regarder dans les yeux et l'affirmer froidement ?

— Peu importe ce que j'ai ressenti. Vous avez voulu me punir, et vous avez réussi.

— J'ai voulu vous aimer, et j'ai réussi.

Elle le repoussa brutalement, faisant tomber une pluie de pétales de glycine.

— Ça suffit. Croyez-vous que je n'ai pas compris à quel point vous me haïssiez ? Votre regard m'humiliait. J'ai été fière de ce que je faisais pendant plus de dix ans, et vous m'avez même privée de cette fierté-là.

— Et vous ? murmura-t-il d'une voix vibrante de colère. Pouvez-vous jurer que vous ne saviez pas que je vous aimais ?

Elle voulut se dégager de son étreinte, mais il l'en empêcha.

— Vous saviez que j'étais amoureux d'une femme qui n'existait pas. Une jeune femme paisible et douce, à qui je ne voulais montrer que tendresse et patience. Pour la première fois de ma vie, je croyais avoir rencontré celle à qui je pouvais offrir mon cœur et ma confiance, et ce n'était qu'un mirage.

— Je ne vous crois pas, répondit-elle, le cœur battant pourtant de l'espoir qu'il venait de faire naître. Vous vous ennuyiez. Je vous distrayais.

— Je vous aimais. Toute votre vie, il vous faudra vivre avec cette certitude, murmura-t-il en la regardant intensément.

— Bennett...

— Et quand je suis venu dans votre chambre, j'ai découvert une autre femme, celle qui m'avait menti, poursuivit-il en défaisant les épingles qui retenaient le chignon d'Hannah. Une menteuse... et une ensorceleuse.

Il soupira tandis que la lourde chevelure coulait entre ses doigts.

— Et pourtant, je la voulais aussi fort, aussi passionnément que l'autre. Et je la veux toujours, acheva-t-il dans un murmure.

Quand la bouche de Bennett rejoignit la sienne, elle ne protesta pas. Dans son regard, elle avait lu la vérité. Il l'avait sincèrement aimée. Du moins, il avait aimé la femme qu'il voyait en elle. S'il n'avait plus que le désir à lui offrir, elle l'accepterait. Elle avait sacrifié l'amour

168

à son devoir, mais même pour le devoir, elle n'avait pas l'intention de renoncer au bonheur qu'elle avait découvert dans ses bras.

Elle l'enlaça. Peut-être pourrait-il lui pardonner un jour d'être aussi une autre femme si elle parvenait à lui faire comprendre la sincérité de son amour...

— Dites-moi que vous me voulez, murmura-t-il, sa bouche contre celle de la jeune femme.

— Oui, je vous veux.

Elle n'aurait jamais cru possible d'éprouver en même temps un tel sentiment de triomphe et de défaite...

— Alors, venez avec moi.

— Je n'ai pas le droit.

Il l'attira tout contre lui et lui murmura à l'oreille :

— Pour aujourd'hui, pour aujourd'hui seulement, ne me ferez-vous pas la grâce d'oublier votre devoir et le mien ?

— Et demain, que se passera-t-il ?

— Demain sera ce que nous en ferons. Donnez-moi ces quelques heures, Hannah.

Elle était prête à lui donner sa vie, mais ne pouvait le lui dire. Elle se contenta de mettre la main dans la sienne.

Ils partirent à cheval. Visiblement, Bennett connaissait parfaitement son itinéraire. Ils s'enfoncèrent en silence dans les bois qu'ils avaient déjà traversés ensemble...

Hannah entendit le torrent avant de le voir. Son chant musical lui donna l'impression de pénétrer dans un royaume enchanté, peuplé de fées... Ils cheminèrent quelque temps sur la berge. Le torrent s'était transformé en une rivière qui s'élargit soudain dans une petite prairie ombragée de saules. Bennett s'arrêta et sauta prestement de sa selle.

— C'est ravissant ! Vous venez souvent ici ?

— Non, pas assez à mon goût.

Il avait déjà attaché son cheval à un arbre et se dirigeait vers elle. Silencieusement, il lui tendit la main. Cette fois, Hannah avait le choix. Mais si Bennett était calme, c'était sans doute parce qu'il était sûr de sa réponse. Elle mit la main dans la sienne et descendit de sa monture qu'elle attacha au même tronc d'arbre.

— Je suis venu ici quand ma mère est morte, expliqua-t-il. Pas pour pleurer, mais parce que je savais qu'elle aimait beaucoup cet endroit. Vous voyez ces petites fleurs blanches, au bord de l'eau ?

Il l'entraînait vers la berge.

— Elle les appelait « les ailes des anges », poursuivit-il.

Il se pencha pour en cueillir une. Ses minuscules pétales entouraient un cœur bleu.

— Chaque été, avant de partir pour Oxford, je venais ici. Et quand j'étais petit, je croyais que les fées vivaient dans cet endroit.

Elle sourit.

— Vous avez réussi à en voir une ?

Il pressa les lèvres au creux de sa paume.

— Non, mais je les sens présentes. C'est pourquoi cet endroit a pour moi quelque chose de magique. Et c'est là que je veux vous aimer.

170

Leurs lèvres se séparèrent un bref instant, le temps de s'asseoir sur l'herbe. Ils commencèrent à se déshabiller. Le soleil donnait un éclat singulier à leur peau nue. Ils ne purent longtemps résister à la puissance de leur désir, et roulèrent, enlacés, sur l'herbe tendre. Une nouvelle fois, la fièvre les saisit, toute puissante, tandis qu'ils se redécouvraient, éblouis par la force du désir. Un désir violent qu'ils surent agacer, dompter, provoquer par de folles caresses qui les embrasaient. Ensemble ils partirent pour un voyage passionné qui les laissa comblés, heureux...

Nue, Hannah regardait le soleil au travers de ses paupières mi-closes.

Pour le moment, ils avaient le droit d'être simplement un homme et une femme, émerveillés de leur propre découverte. Il serait bien temps, demain, d'être de nouveau prince et espionne.

— A quoi pensez-vous ?

Elle réussit à sourire.

— Je me disais que cet endroit est vraiment magique, en effet.

Cela faisait si longtemps qu'il voulait l'amener ici ! Comme il avait rêvé de ce moment où il pourrait enfin lui apprendre la douceur d'aimer. Il l'attira contre lui avec tendresse. C'était une autre femme qu'il avait maintenant dans les bras. Mais pouvait-il jurer qu'il l'aimait moins pour autant ?

Il rit aussi, remarquant avec émerveillement qu'elle avait retrouvé la voix rauque et le rire heureux qu'il avait entendus, un soir, dans les jardins du palais...

Bennett pressa ardemment sa bouche sur la sienne, puis s'écarta légèrement pour la contempler. Ses longs cheveux blonds formaient un halo d'or autour de son fin visage. Les ombres que la fatigue avait dessinées sous ses yeux lui donnait un air fragile qui donnait envie de la protéger.

C'était ainsi qu'il l'avait imaginée, et c'était ainsi qu'il l'aimait.

— Vous êtes si belle !

Elle sourit, amusée.

— On dirait que vous me voyez pour la première fois !

D'un doigt, il dessina tendrement l'ovale de son visage.

— D'une certaine manière, oui. Vous souvenez-vous de la première fois où je vous ai embrassée ?

Il se pencha vers sa bouche, mais se contenta de l'effleurer du bout des lèvres.

Les yeux d'Hannah se fermaient déjà, déjà son souffle s'accélérait.

— Oui, je m'en souviens.

— Je me demandais comment une femme aussi froide pouvait me faire trembler de désir à ce point.

— Embrassez-moi...

Au lieu de la passion qu'elle attendait, elle trouva dans son baiser une tendresse à laquelle elle ne s'attendait pas. Et une douceur qu'elle n'osait plus espérer. Il caressait lentement son corps, attendant qu'elle se détende entre ses bras. Mieux encore, qu'elle l'accepte. Mais quand son

172

baiser devint plus insistant, il resta tendre et attentif. Le feu était toujours là, mais il couvait sous la cendre...

Elle comprit soudain, les larmes aux yeux, que maintenant, il faisait l'amour avec la femme qu'il connaissait et qu'il comprenait. Même si, pour l'autre, il n'avait que mépris. Comment pourrait-elle oublier la moitié d'elle-même ?

Avec un soupir, elle décida de tout oublier. Aujourd'hui, elle lui donnerait celle qu'il aimait.

Il sentit le changement, imperceptible, dans son attitude, et, avec un murmure d'approbation, pressa ses lèvres chaudes sur la gorge palpitante. Ils ne disposaient que de quelques heures pour s'offrir le meilleur d'eux-mêmes.

D'une main lente, il caressa les courbes souples de son corps. Ce qu'il avait brutalement exigé, la nuit dernière, il le demandait maintenant avec une délicatesse infinie. Il prit le temps de voir grandir son émoi tandis que les rayons du soleil, filtrés par le feuillage, dansaient sur son visage épanoui. Il murmura des mots tendres en embrassant les seins qui se tendaient vers lui. Il parlait d'amour, de certitudes, de promesses... Elle murmurait en retour des mots si fragiles qu'ils semblaient s'évanouir aussitôt dans l'air léger du soir.

Jamais encore elle n'avait été aimée ainsi, comme si elle était un être précieux, unique. Malgré la confusion de ses sens, elle entendait le chuchotis de la rivière proche. L'odeur de l'herbe se mêlait au parfum des « ailes d'anges »... Entre ses paupières mi-closes, la lumière dorée du soleil se transformait en bronze chaud sur la peau de l'homme qui l'aimait. Elle passa une main tremblante sur le dos musclé, rencontrant la chaleur et le réconfort qu'elle attendait.

Quand il vint en elle, ce fut doucement... La passion qui les attirait l'un vers l'autre était maintenant jugulée par une émotion plus puissante. Ils avançaient ensemble, dans une harmonie si parfaite qu'elle en était presque douloureuse, tandis qu'il tenait son visage entre les paumes de ses mains, sa bouche soudée à la sienne.

Ils s'élancèrent d'un même élan jusqu'au sommet de l'extase sublime...

— Vous vouliez me voir, monsieur Deboque ?

— Oui, Ricardo.

Deboque souleva la théière et se servit. Il aimait beaucoup la tradition raffinée du thé de cinq heures. D'une main, il montra un papier sur un petit meuble, à côté de lui.

— J'ai une petite liste de services à vous demander...

— Bien sûr, monsieur Deboque.

Il lut la liste et leva un sourcil étonné.

— Dois-je demander tout cela à notre fournisseur habituel ?

— Bien sûr, approuva Deboque en ajoutant une cuillerée de crème dans son thé. Je préfère que cette affaire reste entre nous. La commande devra être livrée à lady Hannah, disons... jeudi. Il n'est pas nécessaire qu'elle ait le matériel trop tôt.

— N'est-ce pas très risqué pour elle de circuler avec un colis aussi... volatile à l'intérieur du palais ?

— Je fais parfaitement confiance à notre amie anglaise, Ricardo. Elle a un certain style, vous ne trouvez pas ?

— Dans toutes les circonstances, la classe reste toujours la classe, monsieur.

— Exactement.

Deboque sourit en buvant une petite gorgée de thé, puis ajouta :

— Je suis persuadée qu'elle mènera sa mission jusqu'au bout avec classe. A propos, veillez à ce que la marchandise soit directement livrée à son adresse. Sans passer par moi.

— Entendu, monsieur.

— Je prépare l'itinéraire de notre voyage, en ce moment, Ricardo. Nous prendrons le large à la fin de la semaine prochaine. Je verrai lady Hannah encore une fois, d'ici là. Vous voudrez bien vous occuper des détails ?

— Oui, monsieur.

— Merci, Ricardo. Au fait, avez-vous veillé à ce qu'une gerbe soit envoyée pour les funérailles de Dumont ?

— Des roses, monsieur, comme vous me l'aviez demandé.

— Parfait, murmura Deboque en choisissant un biscuit. Vous êtes très efficace.

— Merci, monsieur.

— Bonne soirée, Ricardo. Si vous avez des nouvelles de ce qui se passe au palais, faites-le moi savoir.

— C'est entendu, monsieur. Bonsoir, monsieur.

Deboque se laissa aller contre le dossier de son fauteuil. Ricardo lui donnait décidément toute satisfaction. Intelligent et parfaitement névrosé, c'était une excellente recrue pour son équipe. Deboque savait qu'il serait ravi d'être chargé personnellement du cas de lady Hannah quand l'affaire serait terminée.

Mais Deboque estimait particulièrement la jeune femme. Et le moins qu'il puisse faire, c'était de s'en occuper lui-même...

11.

Hannah paraissait très calme tandis qu'elle prenait son thé dans la bibliothèque. Elle écoutait le rapport des récents événements que Reeve faisait à l'intention de Malori, intervenant brièvement quand on le lui demandait.

En réalité, elle ne pensait qu'à Bennett, aux moments intenses qu'ils avaient partagés...

— Qu'en pensez-vous, lady Hannah ?

Elle sursauta, contrariée de s'être laissée distraire dans un moment aussi crucial. Ils ne disposaient que d'une demi-heure pour leur entretien, et il n'était pas très prudent de se rencontrer à l'intérieur du palais.

— Je suis désolée. Pourriez-vous répéter ?

Armand l'observait, se demandant si ces frêles épaules seraient assez fortes pour supporter les heures à venir.

— Ces derniers jours ont été éprouvants, remarqua-t-il gentiment.

— Les deux dernières années l'ont été davantage, Votre Altesse.

— Si votre tâche commence à vous paraître trop difficile, il vaudrait mieux le dire maintenant, intervint Malori.

— Ce n'est pas trop difficile, répliqua Hannah en soutenant son regard. Je crois que cela aussi figure dans mon rapport.

Avant que Malori ait eu le temps de reprendre la parole, Reeve proposa :

— Nous pourrions peut-être faire marche arrière ? Vous croyez que Deboque a déjà commandé les explosifs ? Je me demande bien où il se les procure...

— A Athènes, répondit Hannah. A mon avis, il s'adresse à sa propre organisation. C'est plus sûr, et il ne commettrait pas l'erreur de faire appel à quelqu'un d'extérieur. Selon mes informateurs, il a un quartier général à Athènes. Il en a d'autres ailleurs, bien sûr, mais c'est le plus proche de Cordina.

— Nous joindrons notre contact là-bas. Avec un peu de chance, nous pourrons avoir la bande d'Athènes une fois que nous en aurons fini ici avec Deboque.

— L'ISS ne bougera pas, ni pour Athènes ni pour Londres, ni pour Paris, tant que nous ne tiendrons pas Deboque, dit Hannah. Et c'est moi que cela regarde, monsieur.

Visiblement, Malori n'appréciait pas, mais il inclina poliment la tête.

— Hannah a conclu le marché, demandé les explosifs. Une fois qu'ils seront ici, nous aurons assez de preuves, il me semble ? intervint le prince Armand.

Hannah laissa Reeve donner les explications. Après tout, il faisait partie de la famille.

— Nous en aurons assez pour une arrestation. Mais pas assez pour démontrer l'existence d'un complot. Et

Deboque est suffisamment intelligent pour n'avoir laissé aucune trace des différentes négociations.

— Et le fait qu'il ait demandé à Hannah d'assassiner toute ma famille ? demanda le prince Armand.

— Ce n'est pas une preuve. Votre Altesse, je suis désolé, mais, cette fois, il faut que nous allions jusqu'au bout. Nous avons réussi à arrêter Deboque pendant dix ans. Et vous voyez que cela ne l'a pas découragé. Si nous voulons détruire son organisation, nous devons obtenir des preuves indéniables de sa tentative de complot et d'assassinat sur la famille royale. Hannah va nous permettre d'en arriver là. Ce n'est plus qu'une question de jours.

Armand regard Hannah.

— Et comment ?

— Quand il va me payer. Dès qu'il sera convaincu que j'ai fait ce qu'il m'avait demandé, il devra me payer, et dès que l'argent aura changé de main, nous aurons la preuve. On ne donne pas facilement cinq millions de dollars !

— Il n'est pas stupide, pourtant !

— En effet, Votre Altesse. Il est même supérieurement intelligent.

— Et vous n'aurez qu'à lui affirmer que votre mission est accomplie pour qu'il tienne parole ?

— Oui. Si vous voulez bien, regardez ce croquis...

Elle se leva et, avec l'aide de Reeve, étala la grande feuille de papier sur la table.

— Les cercles bleus que j'ai dessinés indiquent les chambres que sont supposées occuper le prince Alexander et sa famille. J'ai aussi dit à Deboque que la princesse

Gabriella séjournait au château en ce moment avec son mari et les enfants.

— Je vois. En réalité, les appartements de mes enfants sont de l'autre côté, dit le prince en plaçant son doigt à l'autre extrémité du plan.

— La veille du bal, je placerai des explosifs dans cette aile. Ils seront plus faibles que ceux prévus par Deboque, mais suffisants pour faire quelques dégâts spectaculaires. Surtout à l'extérieur. Vous en serez quittes pour faire procéder à quelques petites réparations.

Armand fit un signe de tête, et Hannah poursuivit :

— Dix minutes avant l'explosion, je dois rejoindre Deboque. Le paiement s'effectuera quand il aura constaté que l'explosion a bien eu lieu.

— Le bruit de l'explosion sera une preuve suffisante ?

— Oui. Et puis j'ai exigé d'être payée la nuit même et j'ai promis de partir avec lui en bateau pour quelques jours de vacances. Il me fera d'autant plus confiance que, restant à portée de sa main, il pensera que je n'oserais pas mentir.

Le prince jeta un coup d'œil à Reeve :

— Qu'en pensez-vous ?

— Oui, cela peut marcher.

— Et vous, Malori ?

— Je trouve le scénario compliqué. A mon avis, vous prenez trop de risques. Mais votre plan tient debout.

— Bien, je vous demande donc de veiller tous deux à ce que les dernières précautions soient prises. J'attends un rapport toutes les quatre heures.

Malori s'inclina et se dirigea vers la porte. Hannah aida Reeve à replier le plan et s'apprêta à le suivre.

— Hannah, un petit moment, s'il vous plaît.

— Oui, Votre Altesse.

Il allait certainement lui parler de Bennett. Elle avait appris très vite qu'Armand était un homme sage et perspicace.

Oui, il savait, se dit Hannah. Et il n'approuvait certainement pas. Elle était européenne. Elle était aristocrate. Mais avant tout, c'était une espionne.

— Asseyez-vous, je vous en prie.

Elle obéit en silence. Hannah, si fragile, apparemment, et sur qui reposait le destin de toute une famille...

— Reeve vous fait confiance.

— Je vous promets que je la mérite, Votre Altesse.

Elle se détendit un peu. Ce n'était pas de Bennett qu'il voulait lui parler, mais de Deboque.

— Pourquoi avez-vous accepté cette mission ?

Elle leva un sourcil étonné :

— Parce qu'on me l'a demandé, Votre Altesse.

— Et vous ne pouviez pas refuser ?

— On a toujours le droit de refuser...

— Et vous avez malgré tout accepté.

— Oui. Parce que Deboque met en cause la sécurité d'un pays, et même celle de l'Europe tout entière. Un terroriste, quel que soit son déguisement, est dangereux pour tout le monde. L'Angleterre, autant que vous, veut Deboque, pieds et poings liés.

— Vous pensez d'abord à votre pays ?

— Je l'ai toujours fait.

— Avez-vous choisi cette profession par goût de l'aventure ?

Elle se détendit et éclata de rire. Armand comprit à ce moment-là pourquoi son fils était tombé amoureux.

— Excusez-moi, Monsieur. Je sais que le mot « espion » évoque toujours l'image de quais brumeux et de mystérieux jardins au clair de lune. La réalité est toute autre. Au cours des deux dernières années, j'ai passé plus de temps dans un bureau, devant un ordinateur, que n'importe quelle secrétaire.

— Pourtant, il y a toujours le danger ?

Elle soupira.

— Oui, bien sûr. Mais pour une heure de danger et d'émotion, il faut un an de préparation.

— Maintenant, vous savez que vous êtes seule pour jouer le dernier acte ?

— Oui, Votre Altesse. C'est mon travail. Et je veux le réussir.

Il resta silencieux un instant, puis ajouta :

— Et si... les choses tournaient mal, comment consolerai-je mon fils ?

— J'ai juré que Deboque serait puni...

— Je ne vous parle plus de Deboque, mais de Bennett... et de vous. J'ai rarement l'occasion de parler comme un père. Permettez-moi de le faire, ici, et dans ces circonstances.

Elle respira à fond et s'efforça de parler calmement.

— Je sais que Bennett est en colère parce qu'on ne lui a pas dit qui j'étais exactement, et quel était mon rôle.

— Mon fils vous aime.

— Non !

La panique l'envahissait de nouveau.

— Ou plutôt, il le croyait, tant qu'il ne savait pas qui j'étais réellement. Mais maintenant...

— Et vous, ma chère, connaissez-vous mieux les sentiments que vous éprouvez à son égard ?

Les yeux noirs qui la scrutaient étaient pleins de bonté.

— **Vous me promettez de garder mon secret, Monsieur ?**

— Bien sûr.

— Je l'aime plus que je n'ai jamais aimé quiconque. Si je pouvais revenir en arrière et redevenir la femme qu'il aimait, je le ferais.

Elle ne pleurait pas, mais la tristesse lui serrait le cœur.

— Naturellement, je ne peux pas, acheva-t-elle dans un souffle.

— Personne ne peut changer ce qui est. Mais quand on aime, on peut comprendre et pardonner certaines choses. Bennett est un homme généreux et sensible.

— Je sais. Je vous promets de ne pas le blesser davantage.

Il sourit. Elle était si vaillante et si forte !

— J'en suis convaincu. Quand tout sera fini, j'aimerais que vous restiez encore quelque temps parmi nous.

— Votre Altesse, excusez-moi, mais je préférerais rentrer tout de suite en Angleterre.

— Nous souhaitons que vous restiez, insista-t-il.

Et, cette fois, c'était le souverain qui parlait...

Il se leva et lui tendit la main.

— Vous restez avec nous pour le dîner, bien sûr...

Le colis fut livré par la compagnie Darmouth Shippers. Dessus figurait l'adresse de l'expéditeur, une tante anglaise d'Hannah, et un tampon indiquait : *fragile*.

Malheureusement, Eve était présente au moment de la réception.

— Oh, comme c'est gentil ! s'exclama-t-elle. C'est un cadeau de Noël, n'est-ce pas ? Pourquoi ne l'ouvrez-vous pas tout de suite ?

— Ce n'est pas encore Noël, répliqua nerveusement Hannah.

Et elle s'empressa de ranger le paquet sur la plus haute étagère de sa penderie.

— Hannah, vous n'êtes pas plus curieuse ?

Hannah sourit et s'approcha du vase où elle arrangeait un bouquet qu'Eve venait de lui offrir.

— Nous ne sommes que la veille de Noël !

Boudeuse, Eve se dirigea vers la fenêtre.

— C'est drôle, on ne dirait pas que nous sommes à Noël. La salle de bal est prête, l'arbre de Noël est magnifique. Tout le monde s'active aux cuisines..., mais ce n'est pas Noël.

— Auriez-vous le mal du pays, Eve ?

— Le mal du pays ? répéta Eve, surprise. Oh, non ! les Etats-Unis ne me manquent pas. C'est seulement que tout le monde me gâte trop. Et que j'ai l'impression que l'on me cache des choses...

Elle soupira et se mit à jouer avec le petit coffret en émaux cloisonnés d'Hannah.

— Je sais à quel point Alex est soucieux. Et même quand je parle avec Bennett, je me rends parfaitement compte de ses efforts pour avoir l'air normal. Il faut que cela cesse, Hannah. C'est à cause de Deboque, n'est-ce pas ?

Voyant que la jeune femme ne lui répondait pas, elle reposa la petite boîte.

— Comment peut-on porter autant de haine en soi ? Comment un homme peut-il vouloir faire du mal ? Je sais qu'il ne sera pas satisfait tant qu'il ne nous aura pas tous détruits.

— On a toujours du mal à comprendre le mal à l'état pur, commença Hannah. Mais c'est encore pire si on laisse empoisonner chaque heure de notre vie par cette pensée.

Eve lui prit affectueusement le bras.

— Vous avez raison. Je ne pourrai jamais vous exprimer assez ma gratitude pour le bien que me fait votre présence. Gaby va arriver assez tard, ce soir, avec tous les enfants. Auparavant, il faut que nous voyons les fleuristes et les musiciens.

Elle pressa les mains d'Hannah en poussant un soupir.

— J'ai horreur de rester inactive. La seule chose qui me soulagerait en ce moment, c'est d'avoir Deboque en face de moi et de lui dire mon dégoût. Mais tout ce que je peux faire, c'est d'essayer de rendre la vie plus agréable pour les miens. En attendant...

— En attendant, enchaîna Hannah, pourquoi n'irions-nous pas voir où en sont les préparatifs dans la salle de bal ? Je pourrais peut-être donner un coup de main ?

— Si vous voulez. Mais d'abord, il faut que nous passions par ma chambre. J'ai quelque chose pour vous.

— Nous ne sommes pas encore à Noël, rappela Hannah tandis qu'elles marchaient dans le corridor.

— Ce cadeau-là ne peut pas attendre. Et vous savez qu'il ne faut pas contrarier une femme enceinte.

Elle rit, mais son rire était un peu forcé.

Elles montèrent quelques marches et passèrent dans l'autre aile.

— Vous avez dit que Gabriella serait ici cet après-midi avec les enfants ?

— Oui, toute la famille au grand complet sera là.

Hannah se détendit un peu. Cela lui faciliterait la tâche.

Elle transmettrait discrètement les explosifs à Reeve, et ils pourraient passer à la seconde partie de leur plan.

— Bennett a mis son trésor à l'abri ?

— Son trésor ?... Ah, oui ! le Yo-Yo !

Avec un vrai rire, cette fois, Eve poussa la porte de sa chambre.

— Il adore cet enfant, vous savez. Je crois que je n'ai jamais vu quelqu'un s'entendre aussi bien avec les enfants. Il consacre beaucoup de temps à l'Aide aux enfants handicapés, une association qu'il a créée.

186

Elle passa dans l'autre pièce en poursuivant :

— Je crois qu'il y a une autre raison à ma contrariété. Il devrait être fou de joie, aujourd'hui. Et je ne l'ai jamais vu aussi fatigué et soucieux.

— Pourquoi, fou de joie ?

— Il lui aura fallu plus de six mois et une lutte acharnée pour obtenir la construction d'une aile pour les enfants, au musée. Il y aura un atelier avec des cours de peinture et de dessin pour tous les enfants, y compris ceux qui souffrent d'un handicap. C'est un projet formidable, et il a emporté de haute lutte, hier soir, l'accord du conseil d'administration. Il ne vous en a pas parlé ?

— Non, répondit Hannah.

Eve revint, portant une longue boîte.

— Vous devriez lui demander de vous montrer la maquette qu'il a fait réaliser. Il a voulu quelque chose de très clair, de très lumineux. Le conseil a surtout rechigné quand Bennett a parlé de créations libres à partir de l'imagination des enfants, au lieu de s'inspirer des modèles traditionnels et consacrés.

— Je ne l'imaginais pas aussi... passionné, en tout cas dans ce genre de domaine.

— Bennett se donne toujours à fond dans tout ce qu'il entreprend, expliqua Eve en posant la boîte sur le lit. Et je suis vraiment surprise qu'il ne vous en ait pas parlé. D'habitude, il est intarissable sur le sujet !

— Moi qui croyais que seuls les chevaux et les sorties nocturnes l'intéressaient !

— C'est l'air qu'il se donne, mais je crois aussi que c'est un moyen de se protéger... On dirait que vous êtes devenus très amis, depuis quelque temps ?

— Bennett est très gentil.

Eve s'assit sur le lit, l'air las.

— Hannah, je vous en prie, ne jouez pas ce jeu-là avec moi. Quand vous n'êtes pas là, il attend que vous arriviez, et quand vous sortez, on dirait que, pour lui, il n'y a plus personne.

— Vraiment ?

— Vraiment, répéta Eve avec un bon sourire. Malgré tous les tracas que nous ont apportés ces dernières semaines, j'ai eu au moins une grande joie : celle de voir enfin Bennett tomber amoureux. Et c'est réciproque, n'est-ce pas ?

Il était grand temps de parler vrai.

— Oui. Mais je vous en prie, Eve, n'allez pas imaginer que cela puisse devenir sérieux un jour.

— J'ai le droit d'imaginer ce que je veux. En attendant, si vous ouvriez votre cadeau ?

— Est-ce un ordre royal, Votre Altesse ? plaisanta Hannah.

— Oui ! Je meurs d'envie de savoir ce que vous en pensez !

Hannah souleva doucement le couvercle, puis le papier de soie. Elle aperçut un éclat de satin vert scintillant de mille feux à la lumière du jour.

— Sortez-la, je vous en prie ! s'exclama Eve, impatiente.

Le satin bruissa à peine, et la robe apparut dans toute sa splendeur. C'était un long fourreau vert émeraude, avec un col montant rebrodé de perles et de paillettes multicolores. Le dos, très décolleté, dessinait une ligne souple qui se perdait dans les plis d'une courte traîne. C'était une robe faite pour resplendir à la lumière des lustres de cristal, et pour briller d'un mystérieux éclat aux rayons du clair de lune.

— Dites-moi que vous l'aimez. Cela fait plus d'un mois que je rends la couturière presque folle, à changer sans arrêt les moindres détails !

Hannah passa doucement la main sur l'étoffe.

— Elle est merveilleuse, Eve. C'est la plus belle robe que j'ai jamais vue. Je ne sais comment vous dire...

— Dites-moi simplement que vous la mettrez pour Noël.

Eve saisit la robe et la mit devant Hannah, qu'elle poussa devant le miroir.

— Regardez comme elle met en valeur la couleur de vos yeux ! J'en étais sûre ! C'est superbe !

Elle posa un doigt sur ses lèvres et se pencha vers l'oreille d'Hannah.

— Et j'imagine la réaction de Bennett !

— Je ne crois pas que je pourrai...

— Mais si, vous pourrez. Bien plus, vous le devez, puisque c'est moi qui le demande. Mon coiffeur s'occupera aussi de vous.

— Eve, elle est vraiment très belle, et je vous remercie mille fois pour cette idée, mais vraiment... je ne crois pas être faite pour porter ce genre de robe.

— Je ne me trompe jamais, répliqua Eve fermement. Faites-moi confiance. Mieux encore, accordez-moi cette faveur, comme à une amie.

En effet, elles étaient devenues de véritables amies. Et du reste, quel mal y avait-il à accepter ? Après tout, elle ne serait peut-être déjà plus là, le jour du bal...

— Je me sens tout à fait comme Cendrillon, murmura-t-elle.

Et, tout au fond d'elle-même, elle aurait aimé que ce fût vrai...

— Parfait. Et souvenez-vous que, dans la réalité, on n'est pas toujours obligée de partir aux douze coups de minuit !

Pourtant, il le faudrait bien, se dit Hannah en pensant aux derniers mots d'Eve tandis qu'elle suivait silencieusement Reeve dans les longs corridors du palais. Le jeu était presque fini, et, pour elle, le rideau allait bientôt tomber.

Le paquet envoyé par Deboque contenait les explosifs qu'elle avait demandés, et un message codé. Elle devait rencontrer un agent de Deboque à 1 heure du matin, sur les quais. Elle serait payée à ce moment-là.

Elle installa la première charge. Hannah utilisait le matériel fourni par l'ISS. Le colis envoyé par les soins de Deboque leur permettrait bientôt de remonter jusqu'au quartier général d'Athènes.

— De l'extérieur, on aura l'impression qu'on n'a pas pu maîtriser l'incendie, expliqua Reeve en mettant la dernière main à l'installation. Le système est réglé pour faire plus de bruit que de dégâts. Nous allons faire exploser quelques fenêtres et faire tout un cinéma tandis que Malori et ses hommes resteront à proximité, en cas de besoin.

— Le prince est avec eux, en ce moment ?

— Oui. Il est en train de faire un petit exposé à toute la famille. Malori n'était pas d'accord, mais je crois que vous avez raison. On peut éviter beaucoup de mal en empêchant la panique.

Il pensait à Gabriella. Demain, peut-être, le cauchemar serait enfin terminé.

— Je vous donne dix minutes, conclut-il. C'est largement suffisant pour sortir d'ici. Les quais sont surveillés. Si quelque chose ne va pas, vous pouvez compter sur nous. Je serai sur le bateau qui surveille le yacht de Deboque. Nous bougerons dès que nous recevrons votre signal. Hannah, je sais que cette étape est très risquée. S'il vous soupçonne...

— S'il me soupçonne, je me débrouillerai !

Elle posa une main rassurante sur son bras et ajouta :

— Ne vous inquiétez pas, Reeve. Je n'ai pas envie de mourir.

Pour la première fois, il la regarda comme un homme peut regarder une femme séduisante.

— J'ai la réputation de ne pas laisser tuer mes partenaires.

Elle lui fut reconnaissante, dans un tel moment de tension, de parvenir à la faire sourire.

— J'y compte bien. Mais si... si les choses tournaient mal..., puis-je vous laisser un message pour Bennett ?

— Bien sûr.

— Dites-lui...

Elle hésita, n'ayant pas l'habitude de confier ses sentiments intimes.

— Dites-lui, acheva-t-elle dans un souffle, que je l'aime. Que les deux femmes qui sont en moi l'aiment autant l'une que l'autre. Et que je ne regrette rien.

Elle sortit par la porte principale et se dirigea vers les grilles du palais. Dans une minute, les gardes qui n'avaient pas été avertis de la supercherie réagiraient comme prévu. Tous ceux qui passaient ou demeuraient à côté du palais seraient témoins de leurs réactions.

Tout en conduisant sur la route qui menait au port, elle comptait les minutes qui s'écoulaient. A présent, Bennett et sa famille devaient être libérés de Deboque. Si Deboque la payait, il serait inculpé de complot contre la famille royale, et s'il la tuait, il aurait aussi à sa charge le meurtre d'un agent de l'ISS. La fin justifiait les moyens.

Hannah arrêta la voiture, attendit un moment et entendit enfin l'explosion. La colline sur laquelle était construit le palais était enveloppée d'un nuage de fumée blanche, et toute l'aile était la proie des flammes... Dans vingt minutes, Malori ferait savoir sur les ondes de la radio locale que tous les membres de la famille royale, excepté le prince

Armand, avaient péri dans l'explosion et dans l'incendie qui en avait résulté.

Quand elle arriva sur les quais, la nouvelle d'un accident au palais avait déjà circulé, et l'endroit était complètement désert. Elle gara sa voiture à l'ombre d'un hangar et se posta sous la lumière d'un réverbère, consciente d'offrir une cible parfaite.

Le bateau ancré à quelques centaines de mètres de la côte avait toutes les apparences d'un luxueux voilier de plaisance. Plusieurs fois par jour, une jeune femme aux longs cheveux noirs s'était montrée sur le pont, tantôt allongée sur une chaise longue, tantôt effectuant un impeccable plongeon dans la mer avant de remonter se sécher sur le bastingage. Une ou deux fois, elle avait été rejointe par un homme au torse nu, très bronzé. Ils bavardaient en buvant des cocktails. Les hommes qui gardaient l'*Invincible* les avaient tenus à l'œil toute la journée, plutôt pour se distraire que par réelle méfiance. Ils s'étaient même amusés à parier que ces deux-là étaient amoureux...

Sous le pont, le spectacle était sensiblement différent... L'habitacle central avait tout d'un Q.G. militaire, truffé de postes de radio, de mitraillettes et de lance-grenades. Huit hommes et trois femmes attendaient patiemment...

Bennett était enfermé avec eux depuis l'aube. Durant les trois dernières heures, il avait surveillé en vain l'écran du poste de surveillance. Pourtant, il voulait voir Deboque. Il voulait le regarder dans les yeux avant que le piège ne se referme sur lui. Mais par-dessus tout, il voulait entendre enfin dans le poste radio que tout était terminé et qu'Hannah était saine et sauve.

— MacGee est arrivé, annonça brièvement un homme à la porte.

Quelques secondes plus tard, Reeve faisait son entrée, entièrement vêtu de noir.

— Le premier acte est terminé, annonça-t-il à l'intention de Bennett. Depuis les grilles, on aurait vraiment dit qu'il ne restait plus rien de l'aile gauche du palais. L'ISS fait décidément très bien les choses.

— Et ma famille ? demanda brièvement Bennett.

— Tout le monde est sain et sauf.

Bennett but une gorgée de café froid avant de demander de nouveau :

— Et Hannah ?

— Nous aurons de ses nouvelles d'une minute à l'autre. Nos meilleurs hommes veillent sur elle.

Bennett avait voulu être sur les quais, lui aussi. Mais devant le refus catégorique de son père, il avait dû céder.

— Deboque ne s'est pas montré de toute la journée.

— Pourtant, il est là, affirma Reeve en sortant une cigarette. Il n'aurait pour rien au monde voulu manquer le spectacle de notre mise en scène.

L'homme de la radio leva une main.

— Ça y est, nous avons le contact. Tout va bien...

12.

La brise était fraîche, la nuit très claire. Hannah reconnut l'homme qui s'approchait d'elle. C'était le même qui avait établi le contact dans le bar du port, la première fois. Seul...

— Mademoiselle...

— Mission accomplie, monsieur. Vous avez ce que j'ai demandé ?

— C'est une jolie nuit pour une promenade sur l'eau.

Le yacht... Elle ressentit un mélange de peur et d'excitation.

— Vous comprenez, j'imagine, qu'il n'est pas question pour moi de retourner à Cordina ?

— Bien sûr, acquiesça l'homme en lui désignant un petit canot à moteur.

Une fois de plus, elle avait le choix, mais plus de temps pour l'incertitude. Sans un mot, elle enjamba le bastingage et s'assit dans la petite embarcation.

Désormais, elle tenait sa propre vie entre ses mains, mais quelle que soit l'issue des événements, Deboque était fini...

Quand le yacht se dessina dans la nuit claire, elle vit trois silhouettes se profiler sur le pont, parmi lesquelles elle reconnut Ricardo, qui l'aida à monter.

— Lady Hannah, je suis ravi de vous revoir.

Il y avait dans ses yeux une lueur étrange, quelque chose comme une bizarre expression de satisfaction. Elle comprit, encore plus sûrement que si elle avait déjà le couteau sur la gorge, qu'on n'avait pas l'intention de la laisser repartir. Quand elle prit la parole, sa voix était calme et froide et, elle l'espérait, clairement audible.

— Merci, Ricardo. J'espère que ce ne sera pas trop long. Je ne serai tranquille que lorsque j'aurai quitté les eaux de Cordina.

— Nous partons dans une heure.

— Pour où ?

— Sous des cieux plus cléments. La radio vient d'annoncer la mort tragique de plusieurs membres de la famille royale dans un incendie. Le prince Armand est très abattu, semble-t-il.

— Bien sûr. Cordina vient de perdre ses héritiers. Et lui, toutes ses raisons de vivre. M. Deboque a-t-il été informé ?

— Il vous attend dans sa cabine.

Il tendit la main et ajouta :

— Si vous voulez bien me donner vos armes. Votre pistolet... et votre poignard.

Hannah souleva sa jupe et vit le regard de Ricardo suivre attentivement tous ses gestes tandis qu'elle détachait son arme. Elle poussa le cran de sécurité, et la lame apparut.

— Superbe, n'est-ce pas, fit-elle en tournant la lame dans la lumière. Silencieux, efficace.

Elle sourit et fit rentrer la lame avec un bruit sec.

— Mais je n'ai pas l'intention de m'en servir à l'encontre d'un homme qui me doit cinq millions de dollars. Nous y allons ?

— Lady Hannah...

Trois chandeliers éclairaient la cabine, et, cette fois, les haut-parleurs diffusaient une sonate de Beethoven. Deboque portait un smoking de soie blanche et des rubis. Couleur de sang. Sur un guéridon, une bouteille de champagne rafraîchissait dans un seau d'eau.

— Quelle ponctualité, ma chère ! Je vous félicite. Vous pouvez nous laisser, Ricardo.

Hannah entendit la porte se refermer doucement. Inutile de se demander si Ricardo était resté derrière...

— Quelle ambiance agréable ! Je ne crois pas que beaucoup de marchés se concluent à la lumière des bougies !

— Ce n'est pas un jour comme les autres, Hannah, fit Deboque de sa voix la plus suave. J'ai entendu de tragiques nouvelles, à la radio. Il faut bien fêter ça !

— Je refuse rarement de boire du champagne, mais je le savoure mieux quand le marché est conclu de part et d'autre. Où est l'argent ?

Deboque remplit lentement deux coupes en forme de tulipe et lui en tendit une. A la lumière des bougies, son visage était extraordinairement pâle, et ses yeux noirs brillaient d'un éclat insondable.

— Patience, ma chère. Buvons au travail bien fait... et à notre avenir.

Elle trinqua avec lui et but une gorgée.

— Excellent cru.

— J'ai cru comprendre que vous n'aimiez que le meilleur. Et le plus cher.

— Exactement. C'est pourquoi j'espère que vous ne vous offenserez pas si j'insiste pour avoir mon argent tout de suite. J'apprécie beaucoup les éclairages tamisés et le bon vin, mais je les apprécierai encore plus quand notre affaire sera terminée.

— Petite mercenaire..., murmura Deboque en lui caressant la joue. Pardonnez-moi, mais je me sens d'humeur très légère. Et je désire fêter notre succès comme il le mérite.

Ses mains descendirent sur sa gorge, atteignant presque le micro dissimulé dans l'échancrure de son corsage. Elle le retint par le poignet en souriant :

— Vous avez devant vous une femme sans défense, puisque vous m'avez pris toutes mes armes. N'en abusez pas !

— J'aime les femmes sans défense.

Il se rapprocha plus près d'elle et plongea la main dans ses cheveux. Hannah évita son baiser. Elle pouvait montrer de la réticence, mais pas de la répulsion...

— Vous êtes très forte, murmura-t-il. Je préfère cela. Rassurez-vous, dans mon lit, vous aurez le choix des armes.

Il serra ses doigts autour de sa gorge, si fort qu'elle suffoqua de douleur. Puis il relâcha son étreinte avec un petit rire.

— Bien, ma cupide amie, nous allons vous donner votre argent. N'oubliez pas ce que vous me devez en retour.

Quand il lui tourna le dos pour ouvrir un coffre dissimulé dans la paroi, Hannah s'essuya les lèvres d'un geste vif.

— J'ai déjà apporté ma part du marché.

Deboque forma très lentement la combinaison sur le cadran, et le cœur d'Hannah se mit à battre à se rompre.

— Ah, oui, c'est vrai, répondit-il enfin. La mort de tous les membres de la famille royale. Cinq millions pour satisfaire mon désir de vengeance, et, en prime, le pouvoir ! Ce n'est pas beaucoup. Cela fait plus de dix ans que je consacre toute mon énergie à faire disparaître ces gens-là un par un. Et vous, avec votre sourire tranquille, vous m'apportez leur mort sur un plateau. Tout cela pour la misérable somme de cinq millions de dollars !

— Ça y est ! s'écria Reeve en entendant la voix de Deboque dans le micro. On peut y aller. Doucement.

Bennett saisit son beau-frère par le bras.

— Je viens avec vous.

— C'est absolument hors de question.

— Je viens avec vous, répéta Bennett d'une voix plus forte. Donnez-moi une arme, Reeve, ou j'y vais les mains nues.

Minute après minute, il avait suivi le dialogue d'Hannah et de Deboque. Et tout son être réclamait vengeance...

— J'ai ordre de vous garder ici.

— Et si c'était Gabriella ? insista Bennett, les yeux rouges de fatigue et d'énervement. Si c'était votre femme, vous resteriez assis à attendre que les autres lui portent secours ?

Reeve regarda la main qui serrait son poignet. C'était une main vigoureuse et énergique. Puis il regarda les yeux noirs, du même noir que ceux de sa femme, vibrant de la même passion. Il se leva et prit un pistolet automatique dans l'arsenal.

Maintenant, ils étaient en route..., se dit Hannah en s'efforçant de rester impassible.

— Vous me dites ça maintenant pour me donner des regrets ? dit-elle en s'approchant du bureau avec un rire bref. Cet argent me suffira à passer tranquillement le reste de mes jours à Rio, ou ailleurs. N'importe quel endroit où il y a du soleil, et pas de famille royale, ni d'espions.

Il la regarda droit dans les yeux, en ouvrant la porte du coffre. L'argent était bien là, mais il n'avait pas l'intention de s'en séparer.

— Vous ne souhaitez pas continuer à travailler pour moi ?

200

— Il me semble que ce serait trop risqué, après ce qui s'est passé cette nuit.

— Bien sûr...

C'était exactement ce qu'il pensait. Mais il ouvrit plus largement le coffre pour lui offrir ce dernier spectacle avant de l'exécuter.

Jouant parfaitement son rôle, Hannah s'approcha, feignant une admiration sans bornes.

— Très joli, murmura-t-elle en s'emparant d'une liasse de billets. Vous n'aimez pas l'odeur des billets neufs ?

Il ouvrit lentement le tiroir de son bureau. A portée de main se trouvait un ravissant petit pistolet à crosse de nacre. Au moment où ses doigts se refermaient sur la crosse, les premiers coups de feu retentirent sur le pont...

Hannah se précipita sur le coffret, et, prenant l'argent, se dirigea vers la porte qui menait sur le pont.

— A quel jeu jouez-vous ? s'exclama-t-elle en espérant qu'il prendrait sa hâte pour de la peur.

— Ne bougez plus, lança Deboque.

Maintenant, le pistolet était dans sa main, et il visait son cœur.

— L'argent, Hannah, s'il vous plaît.

— C'était donc ça ! Vous essayez de me doubler ? dit Hannah pour essayer de gagner du temps. Bien sûr, vous auriez pu me promettre dix fois plus d'argent si vous n'aviez pas l'intention de me payer.

— L'argent !

Il commença à se diriger vers elle, lentement. Hannah attendit qu'il ne soit plus qu'à quelques centimètres pour saisir à deux mains la poignée de la valise qui contenait l'argent et l'envoyer en direction de la main qui tenait l'arme...

Les hommes de Deboque résistaient... Des coups de feu éclataient d'un bateau à l'autre, et Bennett entendit une balle s'écraser dans le bois, juste au-dessus de sa tête. Il vit un homme basculer par-dessus bord et tomber dans l'eau noire...

Du côté de l'ennemi, les coups de feu devenaient plus sporadiques, mais le temps passait, et Hannah était toujours enfermée seule avec Deboque. Vivante, Bennett en était certain. Mais son instinct lui disait qu'il fallait faire vite. Il se faufila prestement jusqu'à la proue du petit bateau et se laissa glisser dans l'eau...

La nuit retentissait de coups de feu et de cris. Bennett nagea silencieusement jusqu'au bateau blanc dont la silhouette claire se détachait dans la nuit.

Les coups de feu commençaient à s'espacer, et Reeve donna à ses hommes l'ordre de s'arrêter. C'est à ce moment-là qu'il s'aperçut de la disparition du prince...

Sa gorge se dessécha sous l'effet de la panique.

— Le prince ! cria-t-il. Qui a vu Bennett ?

— Il est là-bas, dit un homme en montrant du doigt une forme qui disparaissait à la proue du bateau ennemi.

— Bon sang ! hurla Reeve. Allons-y. Préparez-vous à aborder.

Quand Bennett se hissa sur le pont, il ne vit personne. Il n'y avait presque plus de coups de feu, et les cris avaient cessé. Il venait de passer plus d'une heure dans la cabine du bateau de l'ISS, à étudier le plan qu'Hannah avait dressé quand elle était revenue de sa première visite à Deboque. Il put s'orienter sans peine...

Hannah avait réussi à envoyer le petit pistolet à l'autre bout de la pièce, Deboque plus rapide qu'elle ne l'aurait cru, bondit sur elle et lui serra la gorge de son bras plié. Commençant à suffoquer, elle réussit à le frapper violemment du coude, au creux de l'estomac. Maintenant, ils étaient quittes ! Tous les deux respiraient bruyamment, essayant de retrouver leur souffle. Au moment où elle atteignait la crosse, du bout des doigts, elle poussa un hurlement de douleur. Deboque l'avait saisie par les cheveux et lui maintenait fermement la tête en arrière. Ils roulèrent ensemble sur le sol de la cabine, chacun cherchant à maîtriser l'autre. Hannah entendit son chemisier se déchirer. Sous l'étoffe, des bleus se formaient déjà en réaction aux coups qu'elle avait reçus. Elle aurait voulu injurier l'homme qui l'humiliait à ce point, mais, quand elle ouvrit la bouche, pas un son ne sortit de ses lèvres enflées.

Enlacés, ils roulèrent de nouveau jusqu'au pistolet. Cette fois, Hannah réussit à saisir le bout du canon dans sa main droite. Au même moment, elle ressentit un coup violent à la nuque. Quand elle rouvrit les yeux, le pistolet était braqué sur elle...

Elle s'était préparée depuis longtemps à mourir. Mais avant elle réaliserait son vœu. Elle pourrait enfin cracher la vérité à la figure de l'homme qu'elle haïssait le plus au monde.

— Je suis un agent de l'ISS. Tous les Bisset sont sains et saufs, et votre bateau est encerclé. Peu importe que je meure, c'en est fini de vous, Deboque.

Elle vit la fureur scintiller dans son regard. Elle sourit et attendit le coup de feu...

Quand Bennett enfonça la porte, il vit Deboque couché sur Hannah, un pistolet appuyé contre sa tempe. Ensuite, tout se passa si vite qu'il eût été incapable de dire qui avait tiré le premier.

Deboque tourna la tête. Leurs regards se croisèrent. Quand le canon du pistolet quitta la tête d'Hannah pour se tourner vers le prince, Hannah poussa un hurlement. Deux coups de feu retentirent en même temps...

Bennett sentit une douleur cuisante sur sa joue gauche. Il vit une tache de sang s'étaler lentement sur la poitrine de Deboque, et se précipita vers Hannah.

C'est seulement à ce moment-là qu'elle commença à trembler. Toutes ses années d'entraînement ne lui servaient à rien sous le poids d'un homme mort. Et quand Deboque avait tiré, elle avait cru qu'elle verrait mourir Bennett sous ses yeux.

Même les bras rassurants du prince ne suffirent pas à l'apaiser...

— C'est fini, Hannah, murmura-t-il en la berçant tendrement. C'est fini, maintenant.

Il n'y avait en lui ni satisfaction, ni triomphe. Simplement un immense soulagement. Elle était vivante. Et tout était fini.

— Bennett, vous auriez pu être tué ! Et vous deviez rester chez vous !

— C'était impossible, vous le savez bien, répondit-il doucement en regardant la porte s'ouvrir sur la haute silhouette de Reeve. Qui se serait occupé de vous ?

Hannah essuya d'un geste vif les larmes qui coulaient encore sur ses joues. Elle regarda Reeve, mais dut s'y reprendre à plusieurs fois avant de pouvoir parler.

— Je suis prête à faire mon rapport.

— Au diable vos rapports ! Je vous ramène à la maison.

Elle dormit douze heures d'affilée, se réveilla, mangea, puis se rendormit. Le médecin insista pour qu'elle reste alitée encore quelques jours, se lamentant sur le nombre et la taille de ses plaies et bosses. Il avait reçu des ordres de son Altesse Royale : repos absolu aussi longtemps que lui, le Dr Franco, médecin de la famille, le jugerait nécessaire.

Hannah se retournait dans son lit, exaspérée. Reeve lui avait transmis les informations provenant du quartier général de l'ISS. L'opération avait parfaitement réussi, le réseau de Deboque était complètement démantelé. Et elle obtenait sa promotion. Comment rester immobile dans un lit après de telles nouvelles ?

Ce fut Eve qui vint la délivrer, le soir du bal de Noël.

— Vous êtes réveillée ? C'est merveilleux.

— Bien sûr que je suis réveillée ! protesta Hannah. Et je crois bien que je vais devenir folle, si ça continue !

— Je m'en doute, répondit Eve en s'asseyant au bord du lit. Et je ne suis pas venue pour vous répéter à quel point nous vous sommes reconnaissants de tout ce que vous avez fait pour nous. Je viens seulement vous transmettre les dernières consignes du Dr Franco.

— Oh, je vous en prie...

— Qui sont les suivantes : il faut que vous vous leviez, que vous mettiez votre plus belle robe et que vous dansiez jusqu'à l'aube.

Hannah rejeta les couvertures et se leva d'un bond.

— Je peux me lever ? Vraiment ?

— Vraiment ! Et le plus tôt possible sera le mieux.

Elle se leva et lui tendit son peignoir.

— Mettez ceci. Mon coiffeur vous attend, et je sens qu'il va faire des merveilles.

— Des merveilles ! soupira Hannah. Je meurs d'envie de revoir le monde, mais je ne crois pas qu'un bal soit la meilleure idée. Je dois avoir une tête épouvantable !

— Vous avez un teint de rose, répliqua fermement Eve en se penchant sur une coupe contenant quelques gardénias. C'est Bennett ?

— Oui, murmura Hannah en caressant les feuilles vernissées. Il me les a apportés ce matin. Je ne l'ai pas beaucoup vu, ces derniers temps.

Elle chassa ses idées noires d'un bref haussement d'épaules et passa ses bras dans les manches du kimono de soie que lui tendait son amie...

C'était une véritable métamorphose. Ses cheveux bouclés comme ceux d'une gitane, et retenus par deux peignes d'écaille, dansaient comme un nuage doré sur ses épaules. La robe moulait son corps svelte de satin vert, chatoyant...

Il ne lui manquait plus que des pantoufles de vair... Si ce devait être sa dernière nuit avec Bennett, elle la voulait parfaite. Quand l'horloge sonnerait les douze coups, elle pourrait disparaître sans regret.

On entendait déjà la musique dans la salle du bal. Hannah fit une entrée discrète, et eut l'impression d'être plongée dans un bain de lumière. Les miroirs reflétaient à l'infini l'éclat des lustres et des bijoux. Tout était bleu et argent, avec, traversant la salle de part en part, des guirlandes de houx et d'étoiles multicolores. Dans un coin de la salle se dressait un immense sapin de Noël piqueté d'anges aux ailes d'or, ruisselant de lumière.

Il l'attendait. Depuis une demi-heure, tout en se conformant aux obligations de son rang, il ne quittait pas la porte du regard. Quand il la vit enfin, il eut tout simplement l'impression que son cœur s'arrêtait de battre. Le couple avec lequel il était en train de converser se tut. La femme leva simplement un sourcil quand il les quitta sans plus de cérémonie pour s'avancer à sa rencontre.

Il arrêta la révérence qu'elle esquissait en lui prenant les deux mains.

— Mon Dieu, Hannah...

Pour la première fois de sa vie, il ne trouvait pas ses mots.

— Vous êtes tout simplement merveilleuse, acheva-t-il dans un souffle.

— C'est l'œuvre d'Eve.

Elle le regarda. Il portait son uniforme blanc de la marine avec les insignes de son rang rebrodés d'or. Si elle devait garder un dernier souvenir de lui, ce serait tel qu'il lui apparaissait ce soir, resplendissant au milieu de toutes les lumières du bal.

L'orchestre entamait une valse. Bennett enlaça Hannah par la taille pour l'inviter à danser...

Elle eut l'impression qu'ils dansaient depuis des heures. Valse après valse, ils tournaient dans l'immensité de la salle, et quand il l'entraîna sur la terrasse, elle ne protesta pas. Il ne restait plus que quelques minutes avant les douzes coups de minuit...

Elle s'approcha de la rambarde pour regarder les lumières de Cordina. La brise était douce et parfumée...

— On ne se lasserait jamais d'admirer ce paysage, dit-elle.

— C'est vrai, répondit-il en l'attirant contre lui. Et sans doute encore plus maintenant.

— En Angleterre, il doit faire froid et gris. Nous aurions même peut-être droit à un peu de neige. Tous les feux de cheminée doivent être allumés. Les puddings sont dans les fours et les oies sur le gril. Partout, on sent Noël.

— Nous ne pouvons vous donner la neige, mais si vous voulez un feu de cheminée...

Il lui embrassa tendrement la main.

— Ça n'a pas d'importance. Quand je serai de nouveau chez moi, Noël aura un autre parfum. Il sentira désormais le jasmin et les roses.

— Pouvez-vous m'attendre ici une minute ?

— Bien sûr.

Quand il fut parti, elle se tourna de nouveau vers le spectacle magique des mille lumières de Cordina, puis son regard s'arrêta sur la mer... Dans quelques jours, elle serait chez elle. Là-bas, Cordina ne serait plus qu'un rêve. Cordina, sans doute, mais pas Bennett. Elle leva les yeux vers les étoiles, mais aucun vœu, même muet, ne sortit de ses lèvres.

— J'ai quelque chose pour vous.

Elle se retourna avec un petit sourire.

— Une branche de gui ! Et du houx !

Emue, elle se jeta dans ses bras pour l'embrasser.

— Merci...

Il lui caressa le visage du bout des doigts.

— C'est merveilleux. Maintenant, pour moi, c'est vraiment Noël.

— Si Cordina ressemblait un peu plus à votre pays, peut-être resteriez-vous avec nous ?

Elle ouvrit les yeux, les referma très vite. Comme pour dissimuler son chagrin.

— J'ai ordre d'être de retour pour la fin de la semaine.

Il leva une main vers son visage, mais n'acheva pas son geste.

— Votre position au sein de l'ISS est si importante pour vous ? J'ai entendu dire que vous aviez reçu une importante promotion.

— Oui. Je passerai le plus clair de mon temps derrière un bureau, maintenant.

— Vous n'avez jamais envisagé d'abandonner ?

— Abandonner ?

Elle leva sur lui un regard si étonné, si dérouté, qu'il sentit un grand froid l'envahir. Etait-il possible qu'il n'existe rien d'autre pour elle que son travail ?

Il l'attira à lui.

— Hannah... Quand je suis entré dans cette cabine, et que j'ai vu Deboque penché sur vous avec le pistolet sur votre tempe, j'ai compris que je ne pourrais jamais envisager la vie sans vous. Vous ne pouvez plus partir, maintenant.

Les derniers mots furent étouffés par le baiser qu'il déposa dans ses cheveux.

— Il ne faut pas, répondit Hannah en s'écartant légèrement pour le dévisager calmement. Tout est fini, maintenant, Bennett. Votre famille est saine et sauve, et je m'en suis sortie vivante. L'histoire est terminée.

— Je n'accepterai pas que vous risquiez de nouveau votre vie pour qui que ce soit.

— Bennett...

— Jamais !

Il la saisit par la main et l'attira de nouveau contre lui, mais cette fois, avec une force qui lui coupa le souffle. Puis, semblant se souvenir qu'il avait prévu que les choses se passent autrement, il lui murmura à l'oreille :

— J'ai caché... quelque chose dans le bouquet de gui, Hannah...

Curieuse, elle chercha... et trouva une minuscule pochette de satin noir. La voyant hésiter, Bennett ajouta :

— Ouvrez-la...

Il avait l'air tellement impatient qu'elle ne résista pas. La surprise la laissa un instant muette tandis qu'elle découvrait une émeraude superbe, sertie de diamants.

— Elle appartenait à ma grand-mère. J'ai dû la faire remonter, mais je préférais vous offrir celle-là, qui porte en elle tellement de souvenirs, plutôt qu'aller chez le joaillier.

Il lui caressa les cheveux.

— Ma grand-mère était anglaise, comme vous.

— Bennett... ! Vous savez très bien que je ne peux accepter. Elle appartient à votre famille !

Il lui prit des mains le gui et le posa sur le muret de pierre.

— Je vous en prie, Hannah, vous comprenez très bien que je vous demande en mariage...

— Vous... vous ne savez pas ce que vous dites ! Le champagne vous tourne la tête et...

— Je supporte très bien le champagne.

Il lui prit fermement la main et glissa l'anneau à son doigt.

— Voilà, maintenant, je peux vous entraîner de force à l'intérieur pour annoncer nos fiançailles. A moins que vous ne préfériez en parler sérieusement d'abord ?

— Parler sérieusement ? s'écria-t-elle d'une voix où se mêlaient le rire et les larmes. Bennett, vous êtes tout, sauf sérieux, en ce moment.

— Alors, c'est que je vous aime déraisonnablement...

Il posa sa bouche sur la sienne et sentit son cœur battre follement dans sa poitrine.

— Vous me croyez vraiment fou ?

— Non, bien sûr, mais...

— Alors, taisez-vous, et écoutez-moi.

Jamais il ne lui avait paru aussi sérieux ni aussi maître de lui-même qu'en cet instant. Ni aussi beau...

— Je croyais que la première femme dont j'étais tombé amoureux était une illusion, dit-il en effleurant sa joue du bout des lèvres. Je me trompais, puisqu'elle est là, dans mes bras. Il y avait une autre femme qui me faisait trembler de désir dès que je la regardais.

Il l'embrassa, plus impérieusement, cette fois.

— Elle est là aussi, acheva-t-il dans un souffle. Ce n'est pas donné à tous les hommes d'aimer deux femmes en même temps et de pouvoir les avoir toutes les deux. C'est pour cela que je vous demande de m'épouser, Hannah.

Il leva un sourcil autoritaire et demanda :

— Vous m'avez dit un jour que, vous aussi, vous me vouliez. Etait-ce un mensonge ?

Emue, elle comprit que pour la première fois de sa vie, elle avait la chance de pouvoir être elle-même. D'aimer un homme sans crainte...

— Non, répondit-elle d'une voix ferme. Ce n'était pas un mensonge.

— Alors, pour la première fois, Hannah, je vous pose la question : m'aimez-vous ?

Elle n'eut pas le temps de répondre. Dans le lointain, un clocher commençait à égrener les douze coups de minuit. Elle compta silencieusement jusqu'à douze, attendant que l'enchantement s'évanouisse dans la nuit de Noël. Un long silence redescendit sur la ville. Hannah était toujours dans les bras de l'être qui comptait pour elle plus que tout au monde. Elle vit l'émeraude lancer un éclat dans un rayon de lune. C'était une promesse. Pour toute une vie...

— Je vous aime. Et jamais je n'ai été mieux moi-même qu'en vous disant cela.

— Dans ce cas, partagez avec moi ce palais.

— Oui.

— Et ma famille.

— Oui.

— Et mes devoirs.

— Je vous le promets.

Elle l'enlaça et attendit son baiser. Du plus loin que son regard portait, Cordina étendait son lit de lumière, et s'apprêtait à s'endormir. Pour les amoureux, la vraie vie ne faisait que commencer...

Chère lectrice,

Vous nous êtes fidèle depuis longtemps?
Vous venez de faire notre connaissance?

C'est pour votre plaisir que nous avons
imaginé un rendez-vous chaque mois
avec vos auteurs préférés, vos
AUTEURS VEDETTE dans les
collections Azur et Horizon.

Les **AUTEURS VEDETTE** vous
donneront rendez-vous pour de
nouveaux livres vedette.

Pour les reconnaître, cherchez
l'étoile... Elle vous guidera!

Éditions Harlequin

ROUGE PASSION

**De fiévreuses histoires
d'amour sensuelles!**

**De provocantes histoires
d'amour passionnées et
romantiques qu'on lit d'une
seule traite. Aventureuses,
parfois humoristiques, et
sensuelles, elles mettent en
vedette des hommes et des
femmes d'aujourd'hui.**

**ROUGE PASSION...
trois nouveaux titres
chaque mois.**

<u>COLLECTION HORIZON</u>

Des histoires d'amour romantiques qui vous mènent au bout du monde!

Découvrez la passion et les vives émotions qu'apportent à la Collection Horizon des auteurs de renommée internationale!

Captivantes, voire irrésistibles, ces histoires d'amour vous iront assurément droit au coeur.

Surveillez nos trois nouveaux titres chaque mois!

GEN-H-R

♉ ♊ ♋ ♌ ♏

69 **L'ASTROLOGIE EN DIRECT** ♒
TOUT AU LONG
DE L'ANNÉE.

(France métropolitaine uniquement)
Par téléphone 08.92.68.41.01
0,34 € la minute (Serveur SCESI).

Composé et édité par les
*éditions*Harlequin
Achevé d'imprimer en juillet 2004

BUSSIÈRE
GROUPE CPI

à Saint-Amand-Montrond (Cher)
Dépôt légal : août 2004
N° d'imprimeur : 43296 — N° d'éditeur : 10714

Imprimé en France

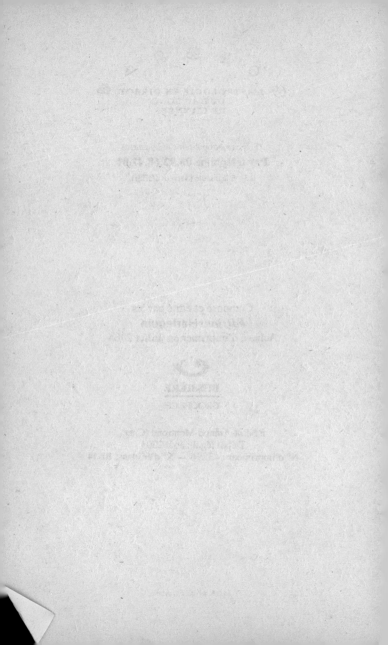